D0766791

Supergirl

NORMA FOX MAZER
d'après le scénario de
DAVID ODELL

Supergirl

traduit de l'américain par Gabriel POSPISIL

Éditions J'ai Lu

Ce roman a été publié sous le titre original :

SUPERGIRL

1

Elle était jeune, enthousiaste et pas encore belle; à ce stade de la vie où rien n'est encore arrivé et tout semble possible (mais quand cela se déclenche-rait-il?).

Lui n'était pas exactement fini, mais, pour dire les choses d'une manière charitable, mûr et créatif aussi, ainsi qu'excessivement blasé; à ce stade de la vie où tout est déjà arrivé et rien de nouveau ne semble plus possible.

Kara. Zaltar. Une amitié improbable, mais voilà, ils étaient dévoués l'un à l'autre.

Son nom, Zaltar, signifiait « le créateur ». A quinze ans (l'âge arrogant ici à Argo City tout comme sur la planète Terre), il s'était rebaptisé, à la fois pour exalter et annoncer ses dons. Prenez note, Argoians, il y a un génie parmi vous! Le nom était peut-être un peu trop explicite mais, à l'époque, tant d'années auparavant, cela avait été une démarche amusante, perspicace. A présent? *Quelle différence?* (1) Partout on le proclamait « divinement doué » – alors, que demander de plus? Récoltant les plus beaux fruits de la vie qui lui tombaient sans cesse dans les bras,

(1) En français dans le texte.

ploc, ploc, ploc, ploc, ploc, PLOC, comme une pluie sans fin (ou pour user d'une métaphore supérieure quoique mystérieuse), comme des pommes mûres tombant d'un arbre d'or qui ne cesserait jamais de produire – ce flot de faveurs avait émoussé ses sens, l'avait rendu nerveux et insatisfait.

Tel était Zaltar. A présent, voyons Kara.

Son nom, tout comme dans ce pays de rêve éloigné appelé planète Terre, signifiait « chérie », bien que sur Terre ils l'épelassent astucieusement avec un « C ». En tout cas, bien que ce fût un nom qu'Alura et Zor-El (peu importe ce que les leurs signifiaient, ce n'étaient que des parents) lui avaient donné avec amour, elle le trouvait ENNUYEUX. La moitié des filles de sa classe s'appelaient aussi Kara. Parfois, lorsqu'elle ne tenait pas en place, elle rêvait de rejoindre son cousin qui était parti sur Terre et avait changé son nom en celui, à consonance exotique, de Clark Kent. Clark Kent! Quelles douces syllabes! Enfin, si à Argo City elle devait conserver le nom si commun de Kara, dans ses rêves elle se transformait en quelqu'un de tout autre – quelqu'un qui vivait sur la planète Terre et qui s'appelait du nom somptueux et ésotérique de – Linda Lee!

Mais, pour le moment, elle était toujours Kara, elle était coincée sur Argo mais, grâce au ciel, il y avait Zaltar. Il était tellement plus intéressant que tous les autres, y compris ses parents. Le père de Kara avait fait, l'autre jour, une remarque à propos de l'âge de Zaltar mais c'était justement parce qu'il était plus vieux qu'il lui plaisait. Les garçons de son âge étaient si *limités*. C'est ce qu'elle avait répondu à son père. Et il avait ri. Pouah! Bien qu'il fût son père et qu'elle l'aimât tendrement, par Zal! elle aurait voulu faire quelque chose de terrible à ce moment-là, comme de crier, ou, Argo pardonne, le frapper. Non pas qu'elle l'eût fait. Mais elle y avait pensé et s'était trouvée HORRIBLE pendant une heure ENTIÈRE.

– Qu'est-ce que ce sera? demanda-t-elle à Zaltar.

C'était un artiste de Premier Rang et tout le monde, absolument tout le monde à Argo avait pour lui un immense respect. D'ailleurs, il n'était pas seulement un artiste de Premier Rang; c'est lui qui avait pratiquement créé Argo City tout seul après que les premiers Argoians eurent été contraints de quitter Krypton. Kara l'avait appris il y a longtemps, lorsqu'elle était toute jeune et que sa mère lui avait raconté tous les *faits* importants.

– Vous aimez? lui demanda Zaltar. Pensez-vous que ce sera réussi? (Avec son générateur de matière, il travaillait aujourd'hui une sculpture cristalline monumentale : une robuste masse centrale de laquelle se détachaient des ramifications plus petites, tordues vers le haut.)

– Merveilleux, s'écria Kara très sincèrement.

Elle se serra plus près contre Zaltar. Quelle chance d'avoir du talent et de l'originalité! Elle se sentait si ordinaire en comparaison. Elle n'était qu'une adolescente parmi tant d'autres à Argo, habillée tous les jours de la même façon, faisant les exercices prescrits pour la santé, allant à la même vieille école de recherches conceptuelles progressives. Rien d'extraordinaire ne lui arrivait jamais. Il est vrai que rien n'arrivait jamais à personne sur Argo. Tous les problèmes de la vie avaient été résolus dans la cité sous dôme, ainsi que le rappelaient chaque fois les Gardiens à la population dans leur discours annuel (et barbant).

Kara examina attentivement la sculpture contournée. Oui, elle était merveilleuse, mais... Si seulement les artistes pouvaient créer des choses que l'on pouvait *comprendre*. Bien entendu, elle ne dirait jamais une chose pareille au risque de révéler son ignorance. Tout le monde, vraiment tout le monde, à part les idiots invétérés, savait que plus une œuvre était difficile à reconnaître ou à comprendre, plus elle était importante et chargée de signification.

– C'est *avant-garde*? demanda-t-elle, ayant entendu Zaltar utiliser cette expression pour d'autres œuvres.

– Mm... pourquoi pas? C'est un arbre. (Il recula pour contempler pensivement sa sculpture. Quelques touches finales et son génie serait à nouveau confirmé. Il bâilla.)

– Un quoi? demanda Kara. Un arbre? Qu'est-ce que c'est?

– Ah!... (Zaltar leva l'index d'un geste simple et pourtant auguste. Ce geste du doigt avait toujours impressionné ses étudiants durant les années où il s'était senti contraint d'enseigner afin de transmettre le flambeau de l'art.) C'est une plante qui pousse sur la Terre.

– La Terre... répéta Kara, l'air songeur. Clark Kent... Linda Lee. (Sa voix s'était faite caressante en prononçant ces noms.)

– La Terre... reprit Zaltar d'une voix non moins songeuse que la sienne. C'est un endroit très particulier, Kara. Bientôt... très bientôt... je serai peut-être en route vers là-bas.

– Vers la Terre? (Kara fit un effort pour ne pas montrer son émotion.) Vous n'allez pas partir, Zaltar. N'est-ce pas? (Oh, flûte! S'il partait, que deviendrait-elle? Non, il n'allait pas... il ne pouvait pas...)

De toute façon, par Argo, comment pourrait-il

faire une chose pareille? Pourquoi s'inquiéterait-elle? A supposer que son génie ait résolu les problèmes du transport, il demeurait – c'est de notoriété publique – que personne ne pouvait survivre à la pression de la Chute Binaire.

Comme s'il devinait ses pensées (elle n'en serait pas surprise car les génies étaient capables de TOUT), Zaltar lui désigna d'un geste un bizarre petit vaisseau spatial posé sur une aire non loin de là. Fabrication artisanale, de toute évidence.

– C'est cela, ma chère petite fille, qui me fera traverser la Chute Binaire en toute sécurité. Zip, zap, et je serai parti.

Kara hésita à rire.

– C'est une plaisanterie, Zaltar? (Il secoua la tête avec une expression très sérieuse.) Mais, Zaltar, même si vous le pouviez – et je suis sûre que vous en êtes capable, ajouta-t-elle précipitamment (les génies sont d'une susceptibilité terrible) – vous ne quitteriez pas Argo City! (Elle fit un geste vers la cité et, sans qu'elle en eût conscience, son bras reproduisit les arcs gracieux et puissants qui soutenaient l'immense dôme au-dessus de la ville.) Personne ne désire quitter Argo. Nous avons tout ici, tout. (Les Gardiens le disaient toujours, son père et sa mère le disaient, tout le monde le disait. Argo était le paradis.) Non, Zaltar. (Kara rit joyeusement.) Je n'arrive pas à croire que vous pourriez nous quitter.

Elle regarda le petit vaisseau miteux (et s'il était capable de faire le voyage?) puis, s'avançant un peu, regarda par-dessus le bord de la Faille, dans les profondeurs infinies de la Chute Binaire. Elle frissonna et, l'instant d'après, regretta passionnément qu'il n'y ait de place que pour une personne dans le vaisseau spatial.

– Ecoutez, Kara, dit Zaltar, la vie est trop facile ici. Mon art en souffre. Mon ardeur s'est émoussée, mon âme s'ennuie. L'art peut-il exister sans luttes et sans privations? La Terre m'appelle... ou peut-être encore Saturne?

– Est-ce encore plus loin que la Terre? demanda naïvement Kara.

Zaltar lui ébouriffa affectueusement les cheveux. Sa main s'attarda un instant sur les tresses blondes et soyeuses. Chère enfant. Et, se rappela-t-il, une telle différence d'âge entre eux. Il s'éclaircit la voix.

– N'avez-vous pas étudié la géométrie dynamique à l'école? Que se passe-t-il dans ces collèges modernes? Négligent-ils les bases?

– Je connais toutes les équations, répondit Kara. (Cependant, comme elle n'avait que quinze ans et croyait encore avec ferveur à «la vérité avant tout», elle se sentit obligée d'ajouter:) L'ennui, c'est que je n'arrive pas à faire ces maudites équations mentalement.

– Tous les grands artistes ont des problèmes avec les mathématiques, Kara, alors votre avenir est peut-être dans les arts. (Il lui mit le bras autour des épaules.) Faites un petit effort d'imagination. Souvenez-vous: la Terre et Saturne sont toutes deux dans l'espace extérieur mais nous, nous sommes dans l'espace intérieur. (Il s'interrompit pour voir si elle écoutait. Elle hocha respectueusement la tête et il poursuivit:) Regardez ceci...

Il sortit un objet brillant et sphérique de sa poche et le lui présenta dans la paume de la main pour qu'elle puisse le voir.

– L'une des deux grandes sources d'énergie de la cité.

Il la regarda à la dérobée pour voir si elle semblait impressionnée.

– Zaltar! On dirait que – mais *c'est* un Omegahedron! Est-ce que les Gardiens vous ont permis de l'emporter?

Elle tendit la main pour le lui prendre.

– Attention! (Il recula.) Ecoutez-moi, Kara. Ceci doit rester entre nous. Les Gardiens... en... en fait, je l'ai emprunté.

Elle le regarda d'un air triste et abasourdi.

– Vous voulez dire que vous l'avez volé. Zaltar, savez-vous ce qu'ils vous feront? Ils vous...

Elle secoua la tête, incapable même d'imaginer ce que pourrait être le châtiment pour un acte aussi abominable.

– Ma chère, répliqua Zaltar d'un air hautain, les yeux levés vers la voûte, les artistes ne volent pas. Cependant, ils *empruntent* souvent, ajouta-t-il. Dans cet esprit, j'ai, euh, emprunté l'Omegahedron. Juste pour l'après-midi. (Il souffla sur la sphère brillante pour chasser un grain de poussière.) Afin d'avoir une minuscule, minuscule parcelle d'inspiration.

Il toucha l'Omegahedron avec le générateur de matière et la baguette se chargea instantanément d'un halo lumineux d'une beauté aérienne qui scintillait et chantait sur des tons à la fois audibles et inaudibles.

Kara était émerveillée et elle oublia ses griefs contre Zaltar tandis que celui-ci touchait la sculpture du bout du générateur de matière chargé d'énergie. Celle-ci – comment s'appelait-elle déjà? Ah oui! un arbre – prit vie et se mit à osciller doucement. Les branches se courbèrent et de pâles rayons d'une lumière argentée éblouirent Kara.

– Oh, Zaltar! (Elle pouvait à peine parler. Le

pouvoir de l'Omegahedron l'impressionnait et l'effrayait.) C'est... c'est magnifique.

Sensible à l'émotion qu'elle manifestait, Zaltar lui tendit l'Omegahedron. Elle le regarda, fascinée, brûlant d'envie de pouvoir en faire quelque chose d'aussi beau et extraordinaire que la sculpture de Zaltar.

– Pourtant, j'ai parfois cette *sensation*, ici, dit Zaltar en portant la main à son cœur (un peu surfait, mais pour une fille de l'âge de Kara...)... une telle angoisse, ma petite... et lorsqu'elle me saisit, oui, j'ai la conviction que je ne verrai jamais... les branches d'un arbre vivant. (Un sourire triste se dessina sur ses lèvres. Il leva la main en voyant Kara prête à répondre.) Je sais ce que vous allez dire, Kara. L'Omegahedron peut créer la vie. C'est ce qu'ils vous apprennent. Mais, ma pauvre enfant, l'Omegahedron, avec tous ses pouvoirs terrifiants, ne crée pas la vie mais une simple illusion de celle-ci. Une pâle imitation de la chose véritable. (Son regard se perdit au loin.) C'est tout ce que nous, pauvres Argoians, pouvons espérer sur ce rocher solitaire.

– Je ne me sens pas seule, protesta Kara.

Pourtant, pendant un instant, elle se demanda si c'était la vérité absolue. Elle chassa la vague de tristesse inhabituelle qui la submergeait. Sa mère l'appelait.

– Je suis ici, mère! Ici.

– Puissiez-vous ne jamais connaître la solitude, chère Kara. (Comme pour la bénir, Zaltar cueillit une minuscule baie qui scintillait sur sa sculpture, la fixa sur un bracelet qu'il traça avec sa baguette et le lui mit au poignet.) Tenez, Kara. Gardez-le. Il est fait de la même matière que notre chère cité d'Argo. Il vous aidera et vous protégera.

– Oh, merci, Zaltar.

Elle l'embrassa sur le front. Curieux Zaltar. Pourquoi, sur Argo, aurait-elle besoin d'aide et de protection? Les artistes étaient si lunatiques et disaient parfois des choses si bizarres, ce qui, tout compte fait, était peut-être la raison pour laquelle ils étaient des artistes. On n'imaginait pas quelqu'un de normal avec des caprices ou en train de divaguer.

– Kara!

Sa mère apparut à travers l'architecture sinueuse de la cité. Kara lui fit signe de la main. Tout le monde disait qu'elle était le portrait de sa mère. Sans doute voulaient-ils dire qu'elle ne ressemblait pas du tout à son père. Ce qui était tout aussi bien. Il était mignon (une de ses amies le lui avait dit), mais sa mère était SUPERBE. A tel point que Kara savait qu'elle ne serait jamais aussi éblouissante. Sa mère avait d'épais cheveux auburn tandis que les siens étaient d'un blond délavé. Sa mère avait beaucoup de grâce (pas elle) et des yeux très particuliers, très écartés et en amande. Les *siens* étaient ronds et comme écarquillés.

– Ma chérie, dit sa mère en se hâtant vers elle, tu ne devrais pas être si près du bord de la Faille sans un adulte auprès de toi!

– Oh, mère!

Pourquoi agissait-elle comme si Kara avait encore cinq ans? Et devant Zaltar. Furieuse, elle cacha l'Omegahedron derrière son dos. Pourquoi le lui montrerait-elle?

– Chère Alura! Et moi, je ne compte pas?

Tout au fond de lui, Zaltar se sentait toujours un peu mal à l'aise en présence d'Alura et de Zor-El, les parents de Kara. Malheureusement, cela avait pour effet de le faire parler plutôt comme un crétin sentencieux que comme un génie pensif.

– Kara doit se conformer aux règles comme tout le monde, répliqua Alura.

Elle adorait Kara à tel point que ça l'effrayait. Elle était prête à tout lui donner et, pour cette raison, était souvent plus sévère que les autres parents.

– Mm... oui... bien sûr.

Zaltar leva le générateur de matière pour se faire valoir devant Alura. Il ne voulait certainement pas qu'elle sache qu'il avait l'Omegahedron. Elle avait parfois un peu trop tendance à moraliser et le dirait sûrement à Zor-El. Il détourna son attention avec le générateur de matière et, tendant la main derrière Kara, saisit prestement l'Omegahedron. Presque du même geste, il lui tendit la baguette.

– Voyons ce que vous pouvez créer, dit-il. Serrez vos doigts juste ici... bien... serrez fort.

Le générateur de matière émit un piaulement de protestation.

– Oh, ma chérie, tu peux faire mieux que ça! s'exclama Alura.

– Bien sûr qu'elle peut, acquiesça Zaltar avec un tantinet d'obséquiosité. Essayez encore, Kara. Laissez-vous emporter par votre imagination.

Kara s'éloigna, tenant la baguette tantôt très haut, tantôt en bas, décrivant des cercles et des « S ». Alura observait sa fille avec le même sourire extasié avec lequel elle avait couvé ses premiers pas, écouté le premier mot qu'elle avait prononcé et accueilli sa première mention au jardin d'enfants pour son essai sur la fonction des oscillations d'électrons dans la structuration covalente kryptonienne.

Zaltar en profita pour cacher l'Omegahedron derrière l'arbre sculpté. Il voulait surtout éviter qu'Alura s'aperçoive qu'il l'avait... emprunté.

– Alors, Zaltar. (Alura se tourna vers lui et le

gratifia d'un sourire plutôt froid.) Mon mari, Zor-El, me dit que vous parlez de quitter Argo City. Vraiment, Zaltar! Pour quelle raison? Et pour aller où?

– Vers l'inconnu.

Il fit un geste solennel vers son vaisseau spatial.

– Là-dedans? fit Alura. Non, non, ne vous offensez pas, cher Zaltar. Je suis certaine que c'est un très bon vaisseau spatial. Mais... même si vous le pouviez, pourquoi partir? Pourquoi quitter Argo?

Il lui répondit d'un air grave :

– Pour découvrir ce qui se trouve derrière le Voile.

– Danger, dit Alura avec conviction.

Zaltar leva les sourcils.

– Aventure.

– Non, Zaltar, vous êtes un grand artiste mais vous avez l'esprit d'un enfant. Au-dehors, il n'y a rien d'autre que la mort.

L'esprit d'un enfant? Vraiment!

– Au-dehors, il y a la vie, Alura. La vie, la vie, la vie. Je suis un artiste. Je ne puis me limiter plus longtemps à Argo City. Mon imagination est trop complexe, trop vaste pour cet endroit insignifiant et sinistre.

Alura examina l'arbre sculpté en fronçant les sourcils.

– Si vous voulez mon avis, Zaltar, dit-elle...

– A vrai dire, chère amie, je n'y tiens pas.

– A *mon* sens, poursuivit-elle en faisant le tour de l'arbre, vous commencez vraiment à vous répéter avec tout ce foisonnement aérien, scintillant et clinquant.

La respiration de Zaltar s'accéléra.

– Vous n'y allez pas par quatre chemins. (La critique avait touché une de ses cordes sensibles.)

Oui, j'aime votre approche intellectuelle. C'est renversant.

Il poussa l'Omegahedron du bout du pied et le fit rouler vers Kara.

Complètement absorbée par son jeu avec le générateur de matière, Kara ne remarqua pas l'Omegahedron, pas plus qu'elle ne faisait attention à ce que disaient les adultes. C'était sûrement *barbant*. Elle leva la baguette d'une fraction de millimètre. Voilà. Sa sculpture prenait vraiment forme. Elle déciderait peut-être de devenir une grande artiste. Cette... euh... créature qu'elle faisait était décidément originale. A vrai dire, ce n'était pas grand-chose encore mais cela avait déjà, c'était certain, une vague ressemblance avec un insecte. Encore quelques touches avec le générateur de matière...

– Et c'est justement *ce* genre de réaction face à mon œuvre qui m'incite à partir, poursuivit Zaltar, ainsi que d'autres petits détails. C'est pour cela que je vais sur Vénus. Je prends la route. Demain. Après-demain au plus tard. Mes bagages sont prêts.

– Zaltar, Zaltar, calmez-vous. Vous avez fondé cette cité. Avez-vous oublié que nous n'étions qu'une horde de réfugiés frissonnants venant de Krypton lorsque vous nous avez guidés jusqu'ici, dans l'espace intérieur?

Comment pourrait-il l'oublier? Il y avait toujours quelqu'un pour le lui rappeler avec les mêmes mots usés. *Vous avez fondé cette cité... Nous n'étions qu'un groupe de réfugiés misérables... Vous avez une responsabilité...* Au diable la responsabilité!

– Ce sont les Gardiens qui ont cette responsabilité à présent, Alura, dit-il. Je suis un artiste. Mon œuvre passe avant tout. Les autres... après.

16

Il s'interrompit. Venait-il de dire quelque chose de profond ou de profondément stupide?

– Comment pouvez-vous créer de la beauté avec un cœur égoïste? lui reprocha Alura.

Puis elle faillit compromettre l'expression sévère qu'elle arborait par un sourire de satisfaction. Ne se rendant pas compte que l'idée était depuis long-temps devenue un lieu commun, elle la classa soigneusement dans sa mémoire pour la resservir à une autre occasion. Peut-être trouverait-elle une circonstance propice à la prochaine fête d'Argo. Il y avait ce beau jeune musicien qui y participerait certainement... Qu'il serait agréable d'avoir un petit flirt innocent épicé de quelques phrases intellec-tuelles significatives! ... *ainsi que je le disais au Pr. Bel-Al-Shut il y a quelques jours, comment peut-on créer de la beauté...*

Kara travaillait toujours à son insecte, mais avec moins d'enthousiasme. En vérité, l'objet était non seulement complètement différent des belles cho-ses que Zaltar semblait créer sans le moindre effort mais, pour être exact, l'insecte était spectaculaire-ment laid. Laid. Elle leva les yeux en entendant les voix irritées des adultes. Mon Dieu! Elle les aimait tous deux mais eux refusaient de s'entendre. Pour-quoi les adultes étaient-ils si stupides parfois?

L'Omegahedron cessa de rouler et arrêta sa course aux pieds de Kara dont le visage s'éclaira. Elle le ramassa presque sans y penser et l'appliqua contre le vilain petit insecte. A peine un frôlement. Mais immédiatement, la petite créature toute héris-sée de piquants, qui l'instant d'avant, reposait inerte et repoussante au creux de sa main, s'ébroua et battit des ailes. Elle changea de couleur tandis que la force vitale la pénétrait, devint plus brillante, se mit à rayonner et scintiller comme si elle était incrustée de diamants. Elle battit encore une fois des ailes puis s'éleva lentement, d'un vol majestueux, et se mit à tourner loin au-dessus de la tête de Kara.

Elle la regarda avec ravissement. Elle avait réussi à faire cela! Les cercles se rétrécirent et l'insecte se rapprocha. Le ravissement de Kara se teinta de frayeur. La créature était toujours aussi laide, bizarre et piquante. Elle pourrait sans doute lui lacérer la peau. Elle se rapprochait de plus en plus.

– Va-t-en! Non!

Elle la chassa de la main.

L'insecte tout hérissé piqua tout droit vers la membrane qui entourait la cité comme une peau.

– Arrêtez-la! hurla Zaltar, tandis que la créature perçait la membrane et disparaissait, laissant derrière elle un trou.

Immédiatement, l'air de la cité se précipita par l'ouverture avec un bruit jamais entendu sur Argo. Un long gémissement, un sifflement gigantesque – Whooosh... Un tourbillon assourdissant saisit Kara puis l'Omegahedron et les emporta vers la membrane.

Alura lutta contre le vent pour attraper Kara tandis que Zaltar, abasourdi par la tournure que prenaient les événements, se mit à crier.

– Kara... la source d'énergie... Kara! Kaaaraa!

Lâchant le générateur de matière, Kara tendit la main pour essayer de saisir l'Omegahedron tandis qu'il passait auprès d'elle puis disparaissait à travers l'ouverture vers l'infini. Terrifiée, elle s'accrocha avec l'énergie du désespoir au bord déchiqueté de la membrane.

Des gens accouraient de toutes parts, le père de Kara en tête.

– Père! Aidez-moi!

Luttant contre la force vicieuse du vent, Zor-El saisit le générateur de matière et en toucha Kara. Instantanément, elle s'immobilisa et fut hors de danger.

L'air se précipitait cependant toujours en mugissant à travers l'ouverture. Le générateur de matière vibrait furieusement dans la main de Zor-El. Il l'appliqua contre la membrane et le trou se referma.

Le calme revint.

Kara et Alura s'étreignirent longuement. Zor-El se tourna vers Zaltar.

– Alors, c'est vous qui avez pris l'Omegahedron.

Zaltar pâlit mais répondit, non sans dignité :

– Pour être précis, c'est moi qui l'ai perdu.

En les entendant, Kara se libéra des bras de sa mère.

– Non, Zaltar, c'est ma faute. J'ai été négligente...

– Taisez-vous, mon enfant, dit-il. Vous n'êtes pas en cause.

Cependant, Kara ne le crut pas et encore moins lorsque son père reprit la parole.

– Sans l'Omegahedron, dit Zor-El, saisi d'une sombre colère, Argo ne survivra pas longtemps. Notre éclairage s'affaiblira... Toute l'énergie de la cité s'épuisera... petit à petit, tout s'arrêtera... Tout... fini... l'air même que nous respirons...

– Je sais, je sais, l'interrompit Zaltar d'une voix enrouée. Je sais ce que cela signifie et je ne permettrai pas que cela arrive. Zor-El! Habitants d'Argo! (Il s'adressa à la foule.) Je vous ramènerai l'Omegahedron. Je le jure. J'irai le chercher jusqu'aux confins de l'espace intérieur et je le ramènerai dans notre splendide cité.

– Impossible, dit Zor-El d'un air sinistre. Vous savez, comme tout un chacun, qu'il est impossible de quitter Argo City. Ceci est notre univers, Zaltar, et vous serez responsable de sa destruction. Tout ce pour quoi nous avons travaillé, tout ce que nous aimons, nos vies... Tout sera détruit. Et cela pour un jeu, une gaminerie.

– Argo ne périra pas. (Zaltar tendit le bras vers son vaisseau spatial.) Je vais partir. Je vais partir à l'instant même. Et je reviendrai. Mon petit Voyageur est fiable et me fera traverser sans encombre les Chutes Binaires.

– Lâche! s'exclama Zor-El. Oui, vous choisiriez une mort instantanée dans les Chutes Binaires, n'est-ce pas? Et vous nous laisseriez condamnés à périr de mort lente.

Les deux hommes, si différents l'un de l'autre, s'affrontèrent du regard. La population assemblée parut contenir sa respiration collective. Et pendant ce temps-là, Kara s'éloigna sans être remarquée de personne et se glissa par l'écoutille dans le vaisseau spatial de Zaltar.

2

Le silence régnait à l'intérieur du vaisseau spatial. Un silence impressionnant. Kara examina soigneusement le tableau de bord. Pour la première fois de sa vie, elle se sentait investie d'une mission. Sa vie, enfin, allait changer. Elle ne serait plus la simple petite Kara. Elle appuya sur trois boutons à la suite puis tourna un cadran lumineux, un autre, un autre encore.

Le petit vaiseau se mit à vibrer et s'anima. Sur la place, les adultes se retournèrent au bruit de l'engin qui quittait son aire. La mère de Kara se fraya un passage à travers la foule.

– Kara! Non!

Le vaisseau flottait en hésitant vers les Chutes Binaires. La foule se précipita avec des cris d'effroi et de désespoir vers le bord de la Faille.

– Kara... Kara... mon enfant! Elle va se tuer!

– Elle survivra, dit Zaltar. Je vous le promets, Alura. Elle est plus en sécurité que nous. A travers les Binaires... à travers le Warp... vers un autre registre. (Le père de Kara lui lança un regard haineux et Zaltar poursuivit avec précipitation :)... le chemin menant de l'espace intérieur vers l'espace extérieur...

– Vieux détraqué!

– ... à travers les radiations gravitationnelles, dit Zaltar pour conclure.

Alura se tourna vers lui.

– Les radiations gravitationnelles? Même si elle survit, elle ne sera plus jamais la même.

Le curieux petit vaisseau spatial s'enfonça plus profondément dans l'abîme des Chutes Binaires. Les Argoians attendirent, immobiles, impuissants, dans un silence pesant, troublé seulement par les sanglots étouffés d'Alura. Puis de très, très loin en dessous, leur parvint une pulsation de lumière, un soupir cosmique d'adieu. Alura poussa un dernier cri :

– Kara!

Et Zaltar, s'avançant lourdement, comme un vieil homme, se tourna vers Zor-El.

– Je dois être envoyé dans la zone fantôme. Les souffrances des Argoians seront courtes. Les miennes... éternelles.

A l'intérieur du vaisseau spatial, Kara était projetée d'un côté à l'autre. Son estomac se révoltait.

– *Non... je ne serai pas malade... je refuse... j'ai une mission à remplir... trouver l'Omegahedron... je dois être forte... ramener l'Omegahedron à... oh, mon Dieu, je vais rendre... le ramener à... à... oh... oh... oh... chers Gardiens, je suis malade... Qu'ai-je fait?... Oh... oh... oh... chers Gardiens, veillez sur moi... faites-moi sortir d'ici et je vous promets... je promets... par Argo... que je ne volerai plus jamais de vaisseau spatial.*

Le vaisseau se stabilisa et accéléra. Kara tituba jusqu'au hublot. Dehors, c'étaient des ténèbres plus sombres qu'elle n'en avait jamais vu. L'obscurité des limbes.

Tandis que le vaisseau spatial passait en flèche au-dessous d'Argo, Kara aperçut sa cité bien-aimée pendant une fraction de seconde. Argo, cité de lumière, suspendue dans le néant...

– *Argo... adieu...*

A nouveau les ténèbres, le néant. Le vaisseau spatial plongeait à travers l'espace et le temps.

C'était le noir, le chaos. Le vaisseau avait été pris dans le vortex de courants mugissants qui l'aspiraient vers les profondeurs comme un grain de poussière. Kara était étendue, presque sans connaissance, son visage tordu par la douleur et la peur.

Au cœur de l'espace intérieur... et comme dans un rêve, tout ralentit, devint plus doux, plus brillant. Kara s'anima, gémit faiblement. Le vaisseau lui-même sembla presque pousser un soupir de reconnaissance et se mit à flotter calmement. Kara aperçut l'Omegahedron flottant devant dans un cercle de lumière éblouissant. La précieuse source d'énergie... si proche... si proche et inaccessible...

Scintillant, presque provocant, l'Omegahedron dériva à travers le centre de l'espace intérieur avec le vaisseau spatial sur sa trace. Kara poussa des boutons, tira sur des leviers, faisant accélérer l'engin et le collant sur la trajectoire de la source d'énergie. Mais tandis que celle-ci atteignait la frange extérieure du centre, elle reprit de la vitesse et s'élança à nouveau dans le maelström. L'instant d'après, le vaisseau de Kara, lui aussi, franchit la limite du centre et fut happé par l'ouragan.

Et tout recommença – la course folle, cahotante, tourbillonnante, qui menaçait de détruire le vaisseau et son pilote. Kara rassembla toute sa volonté et fixa le regard sur l'Omegahedron devant elle... toujours devant elle...

Ballotté impitoyablement, l'Omegahedron semblait se livrer à un ballet étrange et fou. Derrière lui, le vaisseau de Kara imitait ses moindres mouvements, la contraignant à vivre le cauchemar deux fois de suite; une première fois en regardant l'Omegahedron et une deuxième fois lorsqu'elle-même décrivait le trajet.

Elle gémit mais resta consciente, le visage collé au hublot. Elle n'était plus la même Kara, celle qui s'était faufilée avec une détermination presque timide dans le vaisseau spatial. Déjà, le voyage l'avait profondément transformée. Elle savait, avec une certitude cosmique, que, à moins de mourir, elle ne reperdrait plus l'Omegahedron.

Pendant longtemps... très longtemps... une durée au delà de l'exprimable... au delà du temps, l'Omegahedron, propulsé à travers la sombre tempête du vortex, fut son unique lien avec la réalité.

Tant qu'elle pourrait le voir... devant elle... toujours devant elle... scintillant... seule lumière dans le sombre océan d'irréalité dans lequel elle s'était élancée... alors elle ne deviendrait pas folle.

Une faible lueur blanche au loin... ou plutôt une diminution de l'intensité des ténèbres environnantes... de pâles traînées de lumière phosphorescente. Les *radiations gravitationnelles*. Les termes revenaient à la mémoire de Kara... En quelle classe les avait-elle étudiés?... Quand?... Elle se prit la tête entre les mains, essayant de se souvenir comme si cela avait de l'importance... comme si, en se souvenant, elle pouvait conjurer la terrible signification de ces deux mots. *Radiations gravitationnelles*. Personne ne pouvait prévoir leur effet sur un individu déterminé. Tout ce que l'on savait, c'est que de les traverser provoquait une transformation définitive.

– *Et si je suis changée en vieille femme?... ou en chienne?... ou en insecte?*

Lentement, les traînées de lumière s'étendirent, se diffusèrent vers l'extérieur... vibrantes... d'une blancheur toujours plus intense...

La zone de lumière blanche éclata autour d'elle, assourdissante... Elle tendit les bras devant elle avec un cri d'effroi... Ses yeux... ses yeux! La lumière était partout, absorbant le vaisseau spatial qui battait comme un minuscule cœur décoloré dans un vaste corps livide amorphe.

A nouveau le temps inconnu... infini... infini... le temps recourbé sur lui-même, une traînée de temps... Et durant ce temps indéfini, tandis qu'elle quittait la zone de lumière blanche, Kara subit une transformation lente et subtile. Elle n'était plus la gamine dégingandée de quinze ans mais s'était muée en une ravissante jeune femme de dix-sept ans, pleine d'assurance.

Toujours collé sur la trace de l'Omegahedron scintillant, le vaisseau spatial fit irruption dans un halo de lumière verte diffuse. Il s'enfonça de plus en plus dans cette masse épaississante de lumière qui s'écoulait le long du vaisseau comme de l'eau... la mer... les profondeurs glauques de l'océan. Toujours plus avant, il remonta à la poursuite de l'Omegahedron à travers l'épaisse masse verte des eaux, vers la lumière.

3

Sur la plage, un couple éblouissant – ou n'était-il qu'étrange? – avait pris possession de la dune pour un pique-nique.

– Ah, ce monde! dit la femme – Selena – en s'étirant avec volupté. (Elle était très belle et le savait.) Un monde si merveilleux! Je meurs d'impatience qu'il soit *tout à moi*. (Sa bouche eut une moue gourmande.) La question est de savoir, mon cher Nigel, comment me l'approprier pendant que je suis encore assez jeune pour en jouir.

Se tournant vers Selena avec un sourire qui semblait vouloir dire : *Je vous entends mais je m'occupe de choses plus importantes,* Nigel retira une bouteille de vin du panier qu'il avait préparé amoureusement. Il débordait de mets choisis et intéressait Nigel bien plus pour le moment que les rêves de puissance habituels de Selena. Il en retira aussi une longue baguette de pain français dont il rompit l'extrémité croustillante.

Ils avaient garé la Cadillac Seville de Selena sur la route côtière qui surplombait la mer et étaient descendus à pied, bien que Selena, avec sa veste en peau bordée de vison, son pantalon de chevreau et ses bottes de daim, ne fût guère équipée pour ce genre de terrain.

Elle était diseuse de bonne aventure. Nigel, professeur de maths (par nécessité) et magicien à temps partiel (par vocation), pensait qu'ils formaient un couple parfait. Selena n'en était pas aussi convaincue. Pour l'instant, il était pratique de garder Nigel auprès d'elle. Mais à l'avenir?... Chéri! Même une diseuse de bonne aventure ne peut pas *tout* prédire.

– La seule façon de régner sur le monde, ma biche, c'est... (Nigel fit une pause pour passer une assiette de homard froid à sa bien-aimée.)... de se rendre invisible.

Selena réfléchit. Ce n'était pas une mauvaise idée.

– Comment fait-on?

Nigel agita une pince de homard.

– Procurez-vous cinq fèves noires. Commencez le rite un mercredi avant le lever du soleil. Prenez la tête d'un homme mort et mettez-lui une fève dans la bouche, deux dans les yeux et deux dans les oreilles...

– Assez!

– Cela marche, ma petite gourde. Invisible, vous pouvez aller partout, faire n'importe...

– Nigel, l'interrompit Selena, depuis combien de temps sommes-nous ensemble?

Nigel contempla sa magnifique inspiratrice.

– Depuis des mois, ma tendre merveille.

– Alors pourquoi cela me paraît-il des *années*? Nigel pâlit.

– Patience Selena. Vous voulez tout avoir tout de suite. Il faut toute une vie pour apprendre les secrets de la magie noire.

– Je n'ai *pas* toute une vie à perdre, Nigel. Mettez-vous ça dans la tête.

Nigel sourit d'un air apaisant. Elle était adorable lorsqu'elle était furieuse.

– Encore un peu de chablis, ma douce?

– Ne m'appelez pas ma douce. Je ne vous appartiens pas. Je ne suis pas douce. Je suis Selena. (Elle se pencha vers lui en appuyant sur chaque mot.) Selena, une calamité.

Un sifflement long et strident interrompit sa tirade.

– Doux Seigneur! dit Nigel. Est-ce que vous voyez ce que je vois?

A des centaines de mètres au-dessus de l'océan, l'Omegahedron se tenait suspendu comme une étoile. Et, tandis que Selena et Nigel le regardaient, pétrifiés, il tomba vertigineusement vers la plage... et l'endroit où ils se trouvaient.

Selena bondit et renversa le panier de provisions tandis que Nigel plongeait du côté opposé avec le très net désir de s'ensevelir sous une dune de sable. La fuite de Selena l'emporta à travers la plage et elle ne s'arrêta que lorsqu'elle put s'accroupir derrière la Cadillac.

L'Omegahedron, insensible à toute cette agitation humaine, alla s'écraser dans le panier de provisions. Le homard, la baguette de pain français et le vin se répandirent dans toutes les directions. Des nuages de fumée s'élevèrent puis retombèrent lentement.

Jetant un coup d'œil de derrière la voiture, Selena retint sa respiration. Cet objet curieux et scintillant... Pourquoi comprit-elle soudain que là, baignant dans la sauce du homard, se trouvait la réponse à toutes ses prières, ses espoirs, ses souhaits, ses exigences et ses rêves? Ses rêves... oui, ses rêves de puissance, d'argent... de pouvoir... d'or. Elle s'avança vers l'Omegahedron et s'agenouilla, le visage éclairé par son bizarre rayonnement.

– Qu'elle soit immortelle, murmura-t-elle dans une incantation rythmée. *Moi*, ajouta-t-elle, juste pour qu'il n'y ait aucune confusion possible.

Puis, lentement, lentement, savourant cet instant merveilleux qui allait changer toute sa vie, elle ramassa l'Omegahedron.

– A présent, je partage la vie éternelle du soleil, poursuivit-elle sur le même ton.

Elle approcha l'Omegahedron de plus près... plus près encore... Sa lumière baignait son visage de nuances subtilement sinistres.

– Maintenant, il n'y aura plus de danger de mort. Ce monde m'appartient... maintenant... LÈVE-TOI!

Sur ces dernières paroles, elle se releva de toute sa hauteur et se trouva face à face avec Nigel. Pauvre Nigel! Il se faisait tout petit.

– Qu'est-ce... qu'est-ce que c'est?

Selena lui sourit avec compassion. Pauvre Nigel, en effet.

– Le soleil, le vent, la pluie – tous, tous sont avec moi, maintenant et à jamais.

Altière, dédaigneuse, elle se dirigea vers sa voiture en piétinant les restes du pique-nique de Nigel.

– Selena! gémit Nigel. Que se passe-t-il?

Un nouveau sourire s'inscrivit sur le visage de Selena, mais cette fois teinté d'une indifférence cruelle.

– La vie suit son cours, Nigel, et moi, je vous laisse derrière.

– Vous ne pouvez pas me traiter de cette façon, dit Nigel, tout en devinant en son for intérieur, qu'elle le pouvait et qu'elle le ferait.

L'expression de Selena l'effrayait. Non, non, essaya-t-il de se rassurer. C'était bien *Selena*, la même Selena qu'il connaissait et qu'il adorait : belle, ambitieuse, insatisfaite et immorale. Chère Selena! Pourtant... pourtant, n'y avait-il pas à présent quelque chose de nouveau sur ce visage? Quelque chose de primitif et de vicieux?

– Je peux vous renvoyer d'où vous venez, Selena. Sans moi, ma petite, vous seriez encore en train de lire l'avenir dans le marc de café au Lake Tahoe.

Elle ne réagit pas, monta dans la voiture et claqua la portière.

Sans que Selena fît quoi que ce fût, la radio se mit en marche. « ... ce matin, le Président a confirmé les rumeurs selon lesquelles Superman se serait embarqué pour une mission spéciale de paix vers une galaxie que les savants estiment éloignée à quelques milliards d'années-lumière de la nôtre... »

Fascinée, Selena approcha encore un peu son nouveau jouet scintillant du poste de radio. Le son augmenta. « ... MAIS QUI A NÉANMOINS ENVOYÉ, LA SEMAINE DERNIÈRE, UNE INFORMATION

ALARMANTE PAR MICRO-ONDES AU BUREAU OVALE DU PRÉSIDENT... »

– Vous n'allez pas me laisser tomber, hurla Nigel.

« ... LE PRÉSIDENT S'EST REFUSÉ À INDIQUER LA DURÉE D'ABSENCE DE SUPERMAN DE NOTRE PLANÈTE, MAIS UN MEMBRE AUTORISÉ DU DÉPARTEMENT D'ÉTAT NOUS A DIT : " PEU IMPORTE LA VITESSE À LAQUELLE IL IRA, CE GENRE DE CHOSES PREND DU TEMPS. " »

– J'ai les clefs, mon ange, hurla Nigel en les agitant en l'air.

Selena avança l'Omegahedron vers le démarreur. Le moteur se mit en marche. Elle jeta un coup d'œil satisfait vers Nigel puis passa la marche arrière et recula en trombe vers la route.

Pendant que Nigel et Selena avaient leur querelle d'amoureux, d'autres événements avaient lieu non loin de là. Bien que d'une indifférence souveraine, l'océan avait été, en ce jour, le théâtre d'un incident inhabituel – l'émergence de l'Omegahedron. Maintenant, un nouvel épisode extraordinaire avait lieu et l'océan demeura aussi indifférent et immuable qu'auparavant. Pourtant, si Nigel ou Selena avaient été témoins de l'arrivée de Kara, ils auraient eu encore plus peur que lors de l'apparition de l'Omegahedron. Qui avait jamais vu jaillir un jour un corps humain de la surface de cette grande étendue d'eau ? Lentement, revêtue d'une combinaison bleue et d'une cape rouge flottant au vent, Kara s'éleva de la surface de l'océan comme une fleur exotique. Les bras collés au corps, elle passa de l'eau dans l'atmosphère... puis se posa sur terre.

4

Quel monde étrange et fascinant! pensa Kara. Debout sur la plage, elle osait à peine regarder au début. Tout d'abord, où était le dôme qui couvrait cet endroit et en protégeait les habitants? Etait-ce ce qu'elle voyait au-dessus d'elle, si haut, si bleu? Elle ramassa une pierre et la caressa du bout des doigts. A sa grande surprise, la pierre, au contact de ses doigts, se désagrégea et retomba en un petit tas de poussière. Elle souffla dessus et la poussière disparut.

– Mince alors!

Elle ramassa un bouton de fleur et, le tenant près de son visage, le fixa en se concentrant profondément. Une seconde s'écoula, une autre... et sous l'effet prodigieux de son regard ardent, la fleur s'épanouit!

Et maintenant? Elle baissa les yeux et fut à nouveau surprise. Elle lévitait au-dessus du sol aussi facilement que si elle s'était tenue sur la terre ferme.

Qu'est-ce que cela signifiait? Les habitants de cette planète avaient-ils tous ces pouvoirs prodigieux?

– Hm... j'ai bien entendu quelque chose à propos de mon cousin, Clark Kent... des rumeurs au sujet de pouvoirs exceptionnels qu'il est le seul à posséder... Cette lévitation est vraiment *chouette*!

Elle regarda une nouvelle fois le ciel, étendu comme une peau bleue au-dessus d'elle. Qui l'avait fabriqué ainsi? Qui avait pu concevoir un bleu aussi bleu? Oh, si seulement elle pouvait toucher cet azur...

Le désir fut le moteur de l'action. Kara s'éleva droit dans les airs, sa cape flottant derrière elle. Elle vola pour la première fois. *Vola.* Ce n'était plus le petit saut cocasse qu'elle avait fait en jaillissant de l'océan pour aller se poser sur la plage. *Maintenant*, elle volait vraiment... C'était de la vitesse pure... une exaltation unique... la joie la plus parfaite qu'elle ait jamais connue. Elle tourna, virevolta, plongea vers l'océan puis s'éleva à nouveau, droit, tout droit vers ce bleu merveilleux.

Nigel fit glisser le panier à pique-nique d'un bras sur l'autre. Une voiture s'approcha sur la route côtière et il se tourna pour lui faire face en faisant signe du pouce. Quelqu'un allait sûrement s'arrêter pour prendre un homme en jaquette rayée. La voiture, pleine de filles hilares, passa sans ralentir. Les petites chéries! Elles lui rappelaient, hélas! les écolières dans le crâne de qui il essayait d'enfoncer les principes de base des mathématiques. Il se remit en marche en repensant à la manière dont Selena était partie en voiture en le plaquant là.

– *Pour qui se prend-elle? Le culot... après tout ce que j'ai fait pour elle... Eh bien, c'est fini... cette fois c'est bien vrai... j'ai ma fierté... Elle me traite comme un paillasson... La prochaine fois je lui dirai une ou deux choses ou trois... bon... bon.*

Ce cours de pensées satisfaisant fut interrompu par un *whooosh* assourdi. Levant les yeux, Nigel aperçut quelque chose de splendide, rouge et bleu, qui volait. Il eut l'impression que son cœur se serrait. Superman! Etait-ce bien lui? Il y avait quelque chose dans l'aspect de la silhouette volante qui intrigua Nigel. Cela ressemblait à Superman mais ce n'était pas lui. Une minijupe rouge sur le costume familier. Superman en travesti? Il regarda, les yeux écarquillés, jusqu'à ce que la silhouette rouge et bleu disparût, puis se tourna, cherchant quelqu'un à qui parler.

– *Savez-vous ce que je viens de voir? Je crois que Superman a une petite sœur. Non, ne riez pas, je l'ai vue qui volait et sa minijupe rouge...* Il scruta la route du regard dans les deux sens mais elle était déserte. Nigel poussa un soupir et changea le panier de bras. Ce n'était vraiment pas son jour de chance.

Très haut dans le ciel, au-dessus d'un pâturage de montagne parfumé par l'herbe et les fleurs sauvages, Kara survola un troupeau de chevaux. *Whooosh!* Elle piqua sur eux. Les chevaux rejetèrent la tête en arrière, hennirent et s'enfuirent au grand galop, fouettant l'air de leur queue. Kara redressa sa trajectoire, remonta à la verticale puis décrivit de grands cercles... les bras écartés, comme un aigle royal... plongeant, remontant, plongeant encore, mais s'élançant toujours pour finir vers la voûte d'azur.

Vint le crépuscule. Se découpant sur le ciel strié de mauve et de violet, l'océan s'agitait sans cesse. Kara redescendit et atterrit avec autant de grâce que si elle avait volé toute sa vie. Lentement, l'exaltation du vol la quitta. C'était l'heure de la solitude. Elle pensa à sa famille, à Zaltar, à tous les habitants d'Argo dont le sort dépendait d'elle. Le sens de sa mission lui revint en mémoire.

Pendant des heures, elle avait oublié l'Omegahedron, mais à présent, elle regarda calmement le bracelet que Zaltar lui avait fait. Qu'avait-il dit? « *Tenez, Kara, prenez ceci, il vous protégera. Il est fait de la même matière vivante que notre bien-aimée cité d'Argo.* » Matière vivante? Le bracelet était inerte, la baie terne contre sa peau.

Elle se dirigea vers l'ouest, vers le soleil couchant, minuscule silhouette sur la longue étendue de plage déserte. Elle était seule. Seule... Seule pour toujours, à moins de retrouver l'Omegahedron et de le rapporter sur Argo. *A moins de?* pensa-t-elle. A moins de trouver l'Omegahedron? Non. Elle le trouverait. Il le fallait.

Tandis que Nigel se dirigeait péniblement le long de la route en bordure de la mer et que Kara allait son chemin, Selena rentrait joyeusement à la maison pour retrouver sa meilleure compagne, amie et adulatrice favorite, Bianca.

La maison, c'était un Train Fantôme perdu au milieu d'un terrain de fête foraine morne et désert. Extérieurement, le Train Fantôme était ce que tout les trains fantômes doivent être : spectral. A l'intérieur, cette confortable petite tanière était surtout humide, généralement poussiéreuse. Il n'y avait pas de fenêtres et on y trouvait un amoncellement de gros meubles massifs et un vaste assortiment de vieux décors délabrés. Partout où l'œil se posait, il y avait quelque chose à découvrir – des miroirs déformants rayés, un fond de toile aux couleurs criardes sur lequel était peinte une femme éléphantesque en tutu rose, des tas de poupées en plastique roses et vertes, une machine à prédire l'avenir en forme de vieille sorcière avec deux longues dents protubérantes. On est chez soi là où l'on se trouve bien. Selena était chez elle.

– Biiii-an-ca! appela-t-elle. Je suis là. Montrez-vous, ma chérie. J'ai une surpriiise!

Tenant l'Omegahedron d'une main, Selena enleva sa petite veste bordée de vison puis farfouilla dans la pile haute de cinquante centimètres de papiers, de cartes, de perles, de dés et de beignets rances qui traînaient sur son bureau jusqu'à ce qu'elle eût trouvé ce qu'elle cherchait.

Le Coffret des Ombres.

– Ah!

Selena poussa un soupir de satisfaction. La chère petite chose affreuse! Délicieusement répugnante! Merveilleusement écœurante! C'était une boîte complexe, ornée à foison d'oiseaux morts, d'os de poulet et autres matériaux nauséabonds. Comme elle l'avait prévu, elle était juste de la taille de – oh, zut! quel nom devait-elle donner à ce petit jouet qu'elle tenait à la main? La Chose? Cela? La Présence? Peu importe... Elle referma le couvercle du Coffret des Ombres sur l'Omegahedron.

– Vous m'avez appelée? (Bianca arriva en trottinant dans la pièce. Là où Selena s'habillait en blanc, Bianca portait du noir. Alors que Selena était grande et altière, Bianca était petite, boulotte et loyale.) Je suppose, dit-elle en faisant un geste circulaire avec son fume-cigarette, que le seul moyen pour nous de payer nos factures le mois prochain est, comme qui dirait, d'aller de l'avant et d'organiser notre propre assemblée de sorcières.

– Ce n'est plus nécessaire.

– Je lisais dans ce livre, *Le guide élémentaire des sorcières*, que si l'on organisait une assemblée, on pouvait exiger 5 $ d'entrée par personne.

– Une misère, répliqua Selena en se dirigeant vers le réfrigérateur.

– Où est Nigel? s'enquit Bianca en la suivant.

– Nigel, ma chère Bianca, c'est de l'histoire ancienne. La Compagnie des Eaux et ses vilaines factures, c'est de l'histoire ancienne. Les traites de la voiture, c'est de l'histoire ancienne ainsi que les agios sur hypothèque.

– Et les taxes foncières?

– De l'histoire ancienne.

Tenant fermement le Coffret des Ombres d'une main, Selena farfouillait dans le réfrigérateur de l'autre.

Bianca la regardait, interloquée.

– Nous avons gagné à la loterie? Nous tenons enfin le bon bout? La chance nous sourit?

– La chance, gloussa Selena d'un air serein. *La malchance*. Les puissances des ténèbres se sont enfin réveillées.

Elle sortit la carcasse raide et froide d'un poulet du réfrigérateur et la posa sur la table. Cérémonieusement, elle déposa le Coffret des Ombres à côté.

– La Compagnie du Téléphone menace de nous couper la ligne si nous ne payons pas notre facture.

– Taisez-vous et regardez, dit Selena d'un air bienveillant.

Elle approcha le Coffret des Ombres du poulet qui se mit à rayonner. Une délicieuse odeur de poulet rôti se répandit dans la cuisine.

– Mince alors!

Selena, les yeux fixés sur le Coffret des Ombres, se plongea dans une transe. Bientôt, l'odeur de poulet rôti se transforma en odeur de poulet brûlé puis de poulet carbonisé.

– Je crois que c'est fini, dit Bianca. Selena?

Les yeux de Selena se révulsèrent. Une fumée noire s'éleva du poulet. Bianca jeta un verre de lait sur la carcasse.

Selena se redressa.

– Hm... J'ai l'impression qu'il va me falloir un peu d'entraînement.

36

Très haut dans le ciel, Supergirl volait à travers la nuit. Son vol était plus régulier que de jour, moins exubérant, moins fantaisiste, mais puissant et satisfaisant, et par certains côtés plus enchanteur que les tonneaux et les vrilles qu'elle avait exécutés en plein soleil. Cela était plus intime, intense, presque mystique, un vol par lequel elle communiait avec la nuit. Elle survola les grandes surfaces argentées des lacs, les rubans des grandes routes luisantes et les gratte-ciel rutilants de Chicago...

Plus tard... beaucoup plus tard... dans une rue déserte de la petite ville de Midvale, avec ses magasins aux stores baissés, éclairée seulement par la pâle lueur d'un réverbère, dans le silence d'une ville au repos, Supergirl atterrit au milieu de la chaussée, avec grâce et légèreté. Elle était fatiguée à présent et se demandait où elle allait dormir. Elle avait à peine mangé de toute la journée. Quand allait-elle enfin se préoccuper de la manière dont elle allait organiser sa vie ici? Elle ne pouvait pas simplement voler à longueur de journée, avec l'insouciance d'un oiseau. A cet instant précis, comme pour lui rappeler l'importance de sa quête, la baie sur le bracelet de Zaltar qu'elle portait au poignet commença à luire. Le cœur de Supergirl se mit à battre plus fort. Cela ne pouvait avoir qu'une signification. L'Omegahedron se trouvait non loin de là.

A l'aide de sa supervision, elle scruta les immeubles autour d'elle puis ceux des rues adjacentes. Mais le bracelet se ternit et elle ne vit rien d'utile. Déçue, elle s'adossa à un mur. Tout à coup, sa superouïe capta un son ténu, une musique extraterrestre, inaudible aux êtres humains, qui ne pouvait provenir que de l'Omegahedron. Elle comprit qu'il l'appelait, qu'il l'implorait. Elle scruta les bâtiments autour d'elle une nouvelle fois, pénétrant partout grâce à sa supervision, à la recherche de la précieuse source d'énergie. Rien. Et le son, comme la radiation de son bracelet, s'estompa... remplacé par un bruit sourd de pas.

Deux hommes titubèrent vers elle.

– Voilà une bonne rencontre, dit le plus grand d'entre eux.

– Bonsoir, dit Supergirl. (Le sixième commandement des Gardiens : tu seras poli avec les étrangers.)

Le plus grand des deux hommes donna un coup de coude à son compagnon.

– Bonsoir, qu'elle dit!

Supergirl était contente de les voir. A Argo City, les rares étrangers étaient les bienvenus.

– Pourriez-vous me dire où je me trouve, s'il vous plaît?

– Pourquoi pas? répondit le plus grand. Comment appelle-t-on cet endroit, Eddie? La promenade des Amoureux?

– Ouais, ouais, répondit Eddie d'un air futé.

Ils tournèrent autour d'elle.

– Je me demandais ce qu'étaient toutes ces lumières là-bas, commença Supergirl.

Le plus grand releva sa cape.

– Eddie. Vise un peu le spectacle par ici.

Supergirl se déroba.

– Allons, dit-elle. Laissez-moi.

– Hé, Ron, elle se prend pour la petite sœur de Superman.

Supergirl, qui commençait à se sentir un tout petit peu mal à l'aise, lui répliqua d'un air sincère :

– Non, je suis sa cousine. Je suis venue ici à la

recherche de l'Omegahedron. (Elle pivota tandis qu'ils tournaient autour d'elle.) C'est une source d'énergie vitale pour Argo City où j'habite.

– Sans blague! (Ron fit un clin d'œil à Eddie.) Eddie et moi nous sommes aussi en mission secrète. (Eddie hocha la tête en signe d'approbation.) Nous cherchons à nous payer du bon temps.

Il tendit la main vers ses cheveux.

Supergirl recula tout droit contre Eddie qui l'entoura de ses bras.

– Je te tiens.

– Eh! elle est à moi, protesta Ron.

– Je l'ai vue le premier.

Oh, voyons, ce n'était pas gentil de leur part. Supergirl écarta brusquement les bras, se libérant de l'étreinte d'Eddie qui tituba en arrière, cherchant son équilibre.

– Oh, oh, oh, elle se défend! s'exclama Ron. J'adore les défis.

– Pourquoi vous conduisez-vous ainsi? demanda Supergirl.

– Nous aimons nous amuser, pas toi?

Eddie s'avança vers elle, un rictus aux lèvres, la salive au coin de la bouche. Supergirl, irritée, prit sa respiration et souffla. Un super-souffle. Eddie fut projeté en arrière et alla heurter un mur.

Ron secoua la tête devant l'incompétence d'Eddie puis sortit un couteau à cran d'arrêt dont la lame s'ouvrit avec un déclic. Le tenant délicatement au creux de sa main, il s'avança vers Supergirl.

– Allons, allons, ça suffit... tu vas te tenir tranquille, maintenant, dit-il.

Supergirl n'appréciait vraiment pas ces deux hommes. Etaient-ils tous comme ça par ici? Impossible. Ces deux-là avaient juste besoin d'une petite leçon de savoir-vivre. Elle se concentra... dirigea sa supervision sur la lame brillante du couteau. Le métal se ramollit, plia... et fondit, se transformant en une petite flaque aux pieds de Ron. Pauvre Ron! Il contempla la flaque, bouche bée, puis sa main vide, puis une nouvelle fois la flaque de métal.

Eddie s'était remis debout, fou de rage. C'était quelque chose! Une *fille* l'envoyer bouler, *lui*, contre un mur? Pas question! Il poussa un grognement et bondit vers elle. Supergirl détendit sa jambe à la vitesse de l'éclair – un super-coup de pied – et cette fois Eddie s'envola et alla s'écraser au sommet d'un arbre.

Supergirl se tourna vers Ron.

Il recula, s'efforçant de faire un sourire amical et sincère.

– Tout ça, c'est une idée d'Eddie.

Eddie décida de se joindre à la conversation et tomba de son arbre.

Supergirl l'enjamba. Cela devenait monotone par ici. Elle s'élança vers le ciel, faisant tourbillonner la poussière et des papiers dans son sillage; sa silhouette svelte, enveloppée dans sa cape rouge, disparut dans les ténèbres.

Ron resta longtemps à regarder dans sa direction puis se tourna vers Eddie, toujours étendu par terre.

– Nous gardons ça pour nous. Qu'en penses-tu?

Curieuse question à poser à Eddie qui pensait rarement. Et ce n'était vraiment pas le moment de changer ses habitudes. Il avait trop mal, ne serait-ce que pour essayer de réfléchir.

5

Dans la joyeuse maison de Selena, c'était la fête. Quelqu'un ne faisant pas partie du monde de Selena et qui aurait observé de l'extérieur, aurait pu croire qu'il s'agissait d'un bal masqué. Comment expliquer autrement les costumes étranges, les maquillages bizarres, les coupes de cheveux excentriques, le brouhaha des conversations portant sur des sujets mystérieux? Mais pour les invités, qui dansaient seuls ou par couples, qui se jetaient sur le buffet comme un nuage de sauterelles, qui sifflaient son vin comme de l'eau, tout cela était naturel. Il n'y avait aucune ostentation. Ils étaient ainsi.

Selena, la source bienveillante de toutes ces boissons et victuailles, était assise légèrement plus haut que tout le monde, sur un trône de foire criard, et sirotait un verre de vin pétillant.

– *Regardez-les... bande de cochons... barbotant dans l'auge... Si seulement ils savaient...*

– Où est-elle? demanda Nigel pour la énième fois. Où est la petite sphère mystérieuse? (Dans l'espoir de revenir dans les bonnes grâces de Selena, il ne l'avait pas quittée d'une semelle durant toute la soirée.) Laissez-moi juste y donner un coup d'œil, poursuivit-il avec un sourire qu'il imaginait persuasif. Peut-être pourrais-je vous éclairer?

– Je déteste la lumière.

– Est-ce électrique? Est-ce chaud? Est-ce animal, minéral ou végétal? Dites-moi simplement où elle se trouve.

– Elle est en sécurité. Allez rejoindre les autres, ordonna Selena. Laissez-moi méditer.

Elle aimait le ton royal, impérieux et pour tout

dire *profond*, de sa repartie. *Laissez-moi méditer*. Elle appuya pensivement sa joue au creux de sa main.

– Rejoindre les autres? Ces gens-là? Vous devez être folle! dit Nigel. D'ailleurs, qui sont-ils? Une bande de misérables petits avortons.

– Ce sont, dit Selena de sa voix la plus majestueuse, mes loyaux fantassins.

Elle le regarda à travers ses longs cils recourbés, laissant pénétrer ce qu'elle venait de dire. Elle but une gorgée de vin et pensa à l'avenir. Une cave à vin. Une cave garnie de vins français de deux cents ans. Son caviste personnel chargé uniquement du soin de sa cave et de lui apporter les vins appropriés à chaque repas. Il ne serait que l'un des nombreux serviteurs grouillant autour d'elle pour obéir à ses ordres.

– Si, dit-elle sur un ton significatif, je suis sur le point de réaliser la moitié de ce que je pense, alors je ferai le double de... (Elle s'interrompit à mi-phrase. Cela avait-il un sens?) Si je suis sur le point de réaliser la moitié de ce que je pense, alors je ferai le double de... hmm.

– Le double de...? dit Nigel d'un air encourageant.

– Je sais quoi. A vous de deviner, dit Selena sur un ton plus juvénile que royal. (Se ressaisissant, elle toisa Nigel dédaigneusement.) Je ne pense, dit-elle en dévoilant le fond du problème, à rien moins qu'à la domination mondiale. A genoux, coquin! Demandez grâce!

Nigel ricana, le rat.

– La domination mondiale? (Ses yeux brillèrent en voyant là l'occasion de servir à Selena le vieil argument.) Avec ce cirque? Selena, ma jolie, pour ceux d'entre nous qui sont au service du mal, il y a des façons de procéder consacrées par l'usage, des règles centenaires à suivre, et je suis celui qui peut...

Selena se leva.

– N'y pensez plus, Nigel. Vous n'êtes *pas* celui qui peut quoi que ce soit. C'est *moi* qui puis. Je suis la seule, l'unique, la seule et unique.

Elle se fraya un passage à travers la foule.

Nigel la suivit.

– Selena, j'ai un *secret*.

– Comme c'est excitant pour vous, Nigel! Vous feriez bien de le noter avant que cette petite tête ne l'oublie.

Nigel feignit de ne pas entendre le sarcasme. C'était un homme. Il était capable de le prendre sur ses larges épaules.

– Après que vous m'avez planté là, dit-il en réprimant virilement la rage qui menaçait de s'extérioriser à ce souvenir, j'ai vu quelque chose qui devrait vous inquiéter. (Il attendit.) Qui devrait vous inquiéter SÉRIEUSEMENT. (Toujours pas de réaction. Il abattit sa dernière carte.) Selena, mon secret... (Il regarda autour de lui et baissa la voix.) Mon secret est bleu et rouge et il sait voler!

– J'ai un secret aussi, Nigel, dit Selena. Superman ne m'impressionne pas. (Elle parlait d'une voix posée.) J'ai le *pouvoir*. Mettez-vous bien ça dans la tête! Selena ne s'inquiète pas. Laissez le reste du monde s'inquiéter. La fortune a changé de pied. (Elle le toisa d'un air furieux.) Ne vous avisez pas de dire un seul mot! Je sais ce que j'ai dit. Je l'ai dit parce que j'en avais envie et lorsque je dominerai le monde, tout ce monde dira la même chose. La fortune a changé de pied! Tous! Tous ceux qui se sont moqués de moi lorsque j'étais au trente-sixième dessous.

– Je parie simplement qu'ils sont trop paresseux pour marcher.

Il sortit son étui à cigarettes en platine et planta une cigarette au coin de ses lèvres.

– Comptez là-dessus.

Selena toucha le bout de la cigarette du doigt et l'alluma.

Nigel eut un sourire fugitif.

– De mon temps, j'ai vu des choses bien plus impressionnantes qu'un briquet humain, chère Selena. Regardez.

Il fit miroiter son étui à cigarettes devant elle.

Selena contempla son reflet. Oui, elle était toujours aussi belle mais... mais quoi...? Quelle était cette forme, cette ombre derrière son reflet? Quelque chose de sombre et d'étrange... répugnante... et même hideuse...

Elle rit d'un rire incertain.

– Nigel? Qu'est-ce que c'est?

– Une ambition démesurée, ma chère Selena. Prenez garde!

Furieuse, elle frappa l'étui à cigarettes qui échappa des mains de Nigel.

– Ooh, j'ai touché une corde sensible, à ce que je vois?

Ravi d'avoir eu, pour une fois, le dernier mot, Nigel la planta là. Il prit deux verres de vin sur un plateau et s'assit à côté d'une jolie fille qui tirait les cartes.

– Le crapaud rouge, Virginia, dit-il en levant les sourcils d'un air concupiscent, qui vit dans les églantiers et les mûriers, est doué de pouvoirs magiques et capable de choses extraordinaires. (Il lui tendit un verre de vin.) Il a un petit os au côté gauche...

– Un petit os? dit-elle d'une voix ténue.

44

Nigel constata avec ravissement que Selena l'avait suivi. Elle se tenait non loin, couvant Virginia d'un regard mauvais.

– Un petit os qui, s'il est touché par un homme, réveille les plus...

– Je veux être riche et célèbre, dit Virginia de sa petite voix.

– Alors, restez avec moi. (Nigel se pencha vers elle.) Si nous allions ailleurs, euh, danser?

Un jet de fumée sortit des narines de Selena. Ses yeux s'agrandirent puis se rétrécirent tandis qu'elle dardait son regard sur le verre que Virginia tenait à la main. Un scorpion rampa hors de la boisson écumante, grimpa le long de son bras et disparut dans sa bouche. Virginia se saisit la gorge et se mit à tournoyer comme une folle autour de la pièce.

– C'est dégoûtant, Selena, dit Nigel. De l'esbroufe de troisième ordre.

Selena souffla une nouvelle bouffée de fumée par le nez. Virginia fit un triple saut périlleux en arrière puis se mit à tournoyer sur sa tête comme une toupie. Les invités se groupèrent autour d'elle en applaudissant.

– Il paraît qu'elle a fait un malheur à Des Moines, dit l'un d'eux.

– Ça me plaît, approuva Bianca en observant la fille qui tournoyait sous différents angles. C'est très varié et plein de possibilités.

– Délivrez-la, ordonna Nigel.

– Essayez de m'y contraindre, persifla Selena.

Ils s'affrontèrent du regard. Les yeux de Nigel, fixés sur ceux de Selena, se mirent à brûler... brûler... La sueur lui perla au front. Pour une fois, Selena, juste une fois... pas votre caprice... Nooon!

Virginia fut projetée à travers la toile de la grosse femme en tutu rose.

Maintenant, Selena en avait assez! Elle ne supportait pas que Nigel se mêlât de sa sorcellerie.

– Dehors, s'écria-t-elle en montrant la porte. Sortez, vipère. Et ne revenez pas ramper par ici ou je vous vaporiserai.

– Je suis le seul qui puisse vous sauver de vous-même, Selena, dit Nigel. Vous avez besoin de moi, mon ange.

– Comme un poisson a besoin de conseils, une girafe de talons hauts, un serpent de faux cils. (Elle tendit le doigt vers la porte.) DEHORS!

– Je vous préviens, Selena... (Nigel recula vers la sortie.) Vous commettez une erreur.

Comme mot de la fin, ce n'était pas fameux. Enfin... vu les circonstances... Il sortit en raidissant les épaules.

Un grand silence s'était fait alentour. Les invités étaient déçus que l'affrontement fût fini. Comme des spectateurs durant un match de tennis, leurs regards avaient oscillé de Nigel à Selena à chaque réplique. Belle passe! Un point pour Nigel. Mais à présent, la partie était terminée, les joueurs avaient jeté leurs raquettes et tous deux avaient quitté le terrain, l'air maussade. Rabat-joie. Nouilles.

Dans sa chambre, Selena ouvrit le Coffret des Ombres et contempla le Pouvoir scintillant. Son visage baignait dans une lueur pâle et sinistre.

– Te voilà, murmura-t-elle. Dans un petit nid bien douillet. (La chère petite *chose*, qui allait l'élever au zénith! Elle porta le bout des doigts à ses lèvres et lui envoya plusieurs baisers.) Et si tu nous faisais une petite démonstration de tes pouvoirs? Par exemple en nettoyant cette pièce...

Elle attendit. La chambre demeura inchangée, l'immense lit en désordre comme toujours, les piles de vêtements là où elles étaient, la poussière partout. Tant pis, elle avait des projets plus importants en tête de toute façon. Lorsque le moment serait venu, elle aurait une servante pour ranger ses vêtements, une pour faire son lit et une autre pour lui faire couler son bain.

Ces pensées agréables prirent un autre tour lorsqu'elle regarda la *chose* de plus près. Un changement subtil s'était produit... Quoi donc? Etait-ce possible?... Avait-elle augmenté de volume? Elle eut un frisson involontaire et referma d'un coup sec le couvercle du Coffret des Ombres.

6

Une lapine bondit à travers les broussailles, reniflant de tous côtés. Le matin dans le parc. Un oiseau caché faisait des trilles. Trois longues notes, une courte. Twiii, twiii, twiii, twi.... Les rayons de soleil tachetaient les feuilles. Un silence serein régnait. La lapine tourna la tête de-ci, de-là, mais elle se fiait surtout à son nez. Il y avait quelque chose d'étranger sur son territoire. Elle s'immobilisa, se dressant sur ses pattes arrière. *Là.* Elle le vit. L'intrus... Qu'était-ce? Quelque chose de grand, étendu parmi les fleurs sauvages. Son nez lui apprit que c'était humain... une odeur que les lapins détestaient... mais cette fois-ci, sans danger. Elle s'approcha avec précaution.

Supergirl ouvrit les yeux.

– Tiens! Bonjour.

La lapine se remit sur ses pattes arrière. Supergirl resta immobile. Peut-être pourraient-elles devenir amies?

Une balle traversa les branches avec fracas. La lapine disparut. L'instant d'après, une fille en survêtement vert avec un foulard jaune arriva en trombe dans la clairière à la recherche de la balle.

– Je l'ai, hurla-t-elle.

Elle repartit en courant sans remarquer qu'elle avait perdu son foulard.

Supergirl bondit sur ses pieds et le ramassa. Il portait une inscription : COLLÈGE DE MIDVALE. Un sourire se dessina sur les lèvres de Supergirl. Elle venait d'avoir une super-idée.

Sur le terrain de jeux du collège de Midvale, le jeu de balle se poursuivait. Des cris et des applaudissements s'élevaient de la foule des spectateurs. La plupart étaient des collégiennes de l'école et en portaient l'uniforme – chemise, blazer et chaussettes blanches. Cachée derrière les buissons, Supergirl observait les joueuses, repérant facilement la fille qui était venue chercher la balle.

Elle fit demi-tour, écartant les buissons, se baissant pour passer sous une branche basse, se frayant un chemin dans les taillis. Lorsqu'elle arriva de nouveau à la clairière, elle n'était plus Supergirl, la créature rayonnante qui volait dans les airs et faisait trembler les hommes en pleine force de l'âge. Quelqu'un qui l'aurait vue sortir des taillis n'aurait aperçu qu'une simple collégienne, à peine reconnaissable parmi ses condisciples. Elle était quelconque à tous points de vue. Ses cheveux étaient d'un brun ordinaire, elle portait un sac ordinaire à l'épaule et était vêtue du même uniforme que les filles de Midvale qui regardaient les joueuses courir sur le terrain. En fait, la seule chose qui distinguait cette nouvelle élève du collège de Midvale, c'était son nom. Linda Lee venait de voir le jour.

7

Tout en remontant l'allée qui menait au collège de Midvale, Linda Lee observait attentivement tout ce qui se passait autour d'elle et qui pourrait lui servir par la suite. Le jeu de balle se poursuivait et la fille qui l'avait si énergiquement renvoyée était maintenant à la batte. Linda Lee la regarda avec intérêt. Ses équipières l'encourageaient de leurs cris :

— Vas-y, Lucy Lane!

Juste au delà du terrain de jeux, une équipe de jardiniers, composée de deux hommes assez âgés qui appuyaient mollement sur leur pelle, et d'un jeune homme, extraordinairement beau garçon, était au travail. Une camionnette garée non loin d'eux informait le monde entier que c'était le SERVICE D'ENTRETIEN DES PELOUSES & DE DESTRUCTION DES INSECTES. CIE ETHAN. *Avec nous, l'herbe est toujours verte.* Tél. 225-889.

Linda Lee se tourna pour regarder la fille à la batte. Whomp! Une frappe parfaite. Des cris et des bravos de son équipe.

— Au but, au but!

La balle vola hors du terrain et atterrit aux pieds du très beau jeune homme. Avec un sourire éclatant, il renvoya la balle sans effort, juste au moment où la fille arrivait au but.

Linda Lee remonta son sac d'un coup de reins et poursuivit son chemin. Me voici, collège de Midvale. Prête ou pas! Elle eut un sourire fugitif puis reprit l'expression un peu renfrognée, légèrement anxieuse, qu'elle pensait devoir convenir à une nouvelle élève.

Dans le bâtiment administratif, Linda Lee monta un long escalier. Elle croisa deux filles qui allaient dans la direction opposée. Elles étaient si moches, ressemblant à deux crapauds trapus, qu'involontairement, Linda Lee se retourna sur leur passage.

– Vise un peu, Muffy, dit à haute voix l'un des crapauds à l'autre. Encore une de ces nouvelles demeurées. Ils admettent vraiment n'importe qui de nos jours.

Linda Lee aurait pu rétorquer bien des choses mais elle garda son calme et monta à l'étage au-dessus. Elle s'arrêta un instant devant la porte du bureau du censeur, ajusta son chemisier et entra. Le censeur, M. Danvers, comme l'indiquait une plaque dorée sur son bureau, se tenait assis, les mains jointes, et regardait pensivement par la fenêtre.

– Bonjour, dit Linda Lee, je...

– N'ai pas frappé à la porte, enchaîna M. Danvers sans se retourner. Ne vous apprend-on pas les bonnes manières ici? poursuivit-il sans détourner son regard de la fenêtre. N'essayons-nous pas d'inculquer à toutes nos JEUNES FILLES que les animaux de la jungle ne frappent jamais aux portes mais que les élèves de Midvale le font TOUJOURS? (Il se retourna enfin, juste à temps pour voir Linda

Lee sortir du bureau.) Où allez-vous? Revenez tout de suite!

La porte se referma. L'instant d'après, il entendit frapper.

– Entrez!

Linda Lee reparut.

– Excusez-moi pour tout à l'heure, j'ai oublié de... je veux dire, je ne suis pas habituée à...

– Attendez un instant. (M. Danvers se leva et se pencha par-dessus son bureau.) Jeune fille, je ne vous ai encore jamais vue.

– Non, monsieur. Je suis nouvelle ici.

– Mais, par tous les diables, qui êtes-vous?

– Par tous les diables, je suis Linda Lee.

L'air peiné par cette réponse, M. Danvers se rassit derrière son bureau pour reprendre des forces. Oh, non! Pas encore une de ces petites délurées, à Dieu ne plaise! N'était-il pas un brave homme? Ne faisait-il pas son travail consciencieusement? Ne prenait-il pas tous les ans deux boursières (aussi pénible cela fût-il) simplement par bonté d'âme? N'avait-il pas déjà, avec cette impossible Lucy Lane, sa croix à porter?

– Eh bien, dit-il en se résignant à l'inévitable, voyons cela. Où est votre lettre de recommandation?

– Lettre? bégaya Linda Lee qui aurait voulu se battre pour avoir oublié ce petit détail. Lettre?

Elle fut sauvée par la porte qui s'ouvrit brusquement. Nigel, les yeux égarés, entra en trombe.

– Il faut que je vous parle, monsieur le Censeur.

– Je suis occupé, dit M. Danvers en tripotant des crayons sur son bureau d'un air important.

– Elles aussi, monsieur le Censeur. Je veux dire tous les petits monstres que vous admettez ici.

(Nigel fusilla le censeur du regard, l'air de le blâmer pour son incompétence. Cette école, semblait-il dire, gagnerait beaucoup à se débarrasser de toutes ses élèves.) Elles ont cloué les tiroirs de mon bureau. Je veux que vous veniez voir ça! Jamais encore, dans toute ma carrière d'enseignant... Venez, Danvers!

M. Danvers leva les yeux au ciel dans une prière silencieuse. Etait-ce trop espérer qu'un éclair égaré vienne le débarrasser de l'insupportable Nigel? Aucune aide céleste ne venant à son secours, il se leva, comme un homme très éprouvé, et suivit Nigel qui venait de ressortir.

— Je ne me laisserai pas provoquer, marmonna-t-il. Je ne me ferai pas marcher sur les pieds... Je serai fort... inflexible comme un roc.

La porte se referma derrière lui.

L'instant d'après, Linda Lee se mit au travail. A super-vitesse, elle saisit une feuille de papier blanche sur le bureau de Danvers, l'introduisit dans la machine à écrire, ouvrit le tiroir du fichier et classa la lettre à la lettre K. Elle avait à peine refermé le tiroir et s'était rassise que M. Danvers revenait.

— Bonjour, monsieur.

Les mains de Linda Lee étaient sagement posées sur ses genoux.

M. Danvers la regarda, surpris. Mon Dieu, pour-quoi se trouvait-elle toujours dans son bureau? Encore une élève? Etait-il obligé de la prendre? Pourquoi, oh, pourquoi ce fardeau lui était-il im-posé? N'avait-il pas été déjà assez éprouvé? Il s'assit lourdement derrière son bureau.

— Bon, bon, comment vous appelez-vous donc? Oui, oui, Glenda Glee?

— Linda Lee, monsieur. Mon cousin vous a écrit. J'espère que vous avez reçu sa lettre.

– Nom?

Pauvre homme! Il avait déjà oublié.

– LINDA LEE, monsieur.

– Non, non, non. *Son* nom. Votre cousin!

– Kent. C'est peut-être dans votre fichier à la lettre K.

– Kent? Kent? (Il ouvrit le tiroir du fichier.) Ça ne me rappelle rien... (Il sortit la lettre qu'elle avait tapée.) Hmm. La voici... mais où...

– Dieu merci, vous l'avez trouvée! s'exclama Linda Lee avec un enthousiasme juvénile. Je sais à quel point la poste marche mal parfois et, si vous ne l'aviez pas reçue, je ne sais pas ce que j'aurais...

– Oui, oui, dit M. Danvers en agitant la main avec impatience. « Cher monsieur Danvers, lut-il, je vous écris au sujet de... une jeune fille peu commune... orpheline... » (Il fronça les sourcils et la regarda par-dessus la feuille de papier. Le vieux coup de l'appel à la compassion.) Ne vous attendez pas à un traitement de faveur, mademoiselle Lee.

– Oui, monsieur.

– Parce qu'un jour ou l'autre, d'une façon ou d'une autre, aussi sûrement que la lune se lève et que le soleil se couche, nous perdons tous nos parents. Oui, mademoiselle Lee, nous sommes tous seuls sur cette misérable petite planète.

Sans qu'elle s'y attende, Linda Lee sentit son cœur se serrer.

– Oui, monsieur, dit-elle. Je sais.

Linda Lee se hâtait derrière M. Danvers qui traversait le campus d'un pas énergique.

– Puisque la poste a égaré vos certificats scolaires, vous devrez commencer au bas de l'échelle. Ce n'est que justice vis-à-vis des autres filles. Vous suivrez des cours d'anglais, de français, de latin, d'histoire, d'art, de mathématiques, de biologie et d'informatique.

– Tout à la fois? demanda Linda Lee d'une voix un peu tremblante.

– Et de chimie. (M. Danvers tourna à droite et entra dans le foyer des étudiantes avec Linda Lee sur ses talons.) L'oisiveté est mère de tous les vices.

Linda Lee acquiesça tristement en se demandant s'il était encore trop tôt pour demander son transfert dans une autre école.

M. Danvers s'engagea dans un couloir. Les deux crapauds... – non... filles – que Linda avait croisés dans les escaliers sortirent de leur chambre.

– Un homme à l'étage! hurla l'une d'elles.

Tout le long du couloir, des portes se refermèrent en claquant. M. Danvers frappa à l'une d'elles.

– Ouvrez, Lane. Je sais que vous êtes là.

La porte s'entrebâilla et Lucy Lane montra le bout de son nez.

– Je ne suis pas en tenue décente, monsieur Danvers.

– Et vous ne le serez jamais, petite menteuse. (Il poussa la porte et entra. Lucy Lane, toujours en survêtement vert, croisa les bras d'un air résigné.) Venez, venez, dit M. Danvers à Linda Lee. Entrez! Je n'ai pas de temps à perdre.

Sous le regard froid et inquisiteur de Lucy, Linda Lee se débattit avec les courroies de son sac à dos et jeta un rapide coup d'œil autour de la pièce. Il y avait deux lits, dont un enseveli sous un tas de fripes. Une chaîne stéréo se trouvait par terre avec des revues et des livres répandus un peu partout et les murs étaient couverts de posters de groupes rock avec en plus une grande affiche de Superman.

Celle-là au moins lui plaisait et lui donnait un peu plus l'impression d'être chez elle.

– Voici votre nouvelle camarade de chambre, Lane, dit M. Danvers.

– Oh, non, marmonna Lucy. Monsieur Danvers, je suis censée avoir une chambre toute seule ce trimestre.

– Mademoiselle Lane, nos désirs ne sont pas toujours satisfaits, répliqua M. Danvers en songeant à la déception qu'il avait eue de ne pas voir Nigel foudroyé malgré ses prières ferventes. Les déceptions nous endurcissent.

– Qui a besoin de s'endurcir? rétorqua Lucy en faisant éclater sa bulle de chewing-gum.

Mais elle fut déçue de sa repartie. Qui était cette nouvelle fille? Elle n'avait rien de particulièrement attirant. Elle était si... comment dire?... *insignifiante*. Flûte! Juste au moment où elle croyait avoir réussi, il fallait que le vieux Danvers vienne lui coller une camarade de chambre!

– Je m'appelle Linda Lee, dit Linda Lee.

Lucy s'arrêta de faire éclater son chewing-gum et examina Linda une nouvelle fois. Elle s'était présentée d'une manière fort simple et peu prétentieuse. Peut-être ne serait-elle pas une enquiquineuse après tout.

– Moi, je m'appelle Lucy Lane.

Elle tendit le bras et les deux filles se serrèrent la main.

– Lucy Lee, dit M. Danvers qui se sentait tenu à l'écart, voici Linda Lane.

– Monsieur Danvers, dit Lucy, elle, c'est Linda *Lee* et moi...

– Lucy *Lane*, enchaîna Linda Lee.

M. Danvers les regarda l'une après l'autre.

– Vous vous connaissez?

– Bien sûr!

– Depuis longtemps?

– Depuis une éternité, n'est-ce pas, Linda?

M. Danvers fronça pensivement les sourcils. Puis la lumière jaillit.

– Ah! Je comprends maintenant. Le *Daily Planet*. Bien entendu! Le cousin de Linda Lee y travaille ainsi que votre sœur – comment s'appelle-t-elle? –, celle qui est tout le temps en train de me téléphoner et de me harceler.

– Loïs, dit Lucy distinctement. Loïs Lane, monsieur.

– C'est cela. Parfait. (Il ouvrit la porte.) Faites faire le tour du propriétaire à notre nouvelle demoiselle Lane, mademoiselle Glee. (Il se retourna pour ajouter encore:) Elle est orpheline mais ne vous laissez pas attendrir par *cela*.

Sur ce, il disparut.

– Bon, dit Lucy en s'asseyant sur son lit. C'est qui, votre cousin?

– Clark Kent.

Linda Lee se fit une place sur l'autre lit. Elle essayait encore de se faire à l'idée qu'elle allait désormais vivre ici.

– Clark Kent! Sans blague! (Lucy se leva d'un bond.) Vous me faites marcher! Clark Kent?

Linda Lee hocha la tête.

– Vous le connaissez?

– Lui? (Surexcitée, Lucy balaya d'un geste la moitié des affaires qui s'entassaient sur l'autre lit, soulevant un nuage de poussière. Des oranges, des pommes roulèrent par terre.) Si je connais Clark Kent? C'est à ma sœur qu'il faut demander cela. (Elle fit un clin d'œil.) C'est ça la vraie question.

– S'ils travaillent tous deux au *Daily Planet*, dit Linda Lee, je suis sûre qu'elle le connaît.

Lucy en resta bouche bée. Pas possible! Ce numéro de Bécassine ne pouvait être qu'une comédie. Un attrape-nigaud. Une farce!... Ou alors... Quelque chose dans l'expression de Linda Lee convainquit soudain Lucy que sa camarade de chambre ignorait certaines choses. Ingénue. Innocente. Comme l'enfant qui vient de naître. Un instinct protecteur, presque maternel, s'éveilla dans le cœur habituellement insouciant de Lucy. Elle allait devoir s'occuper de celle-ci, la couver comme une mère poule pour être sûre que personne ne profiterait de sa naïveté.

– C'est celui-ci, mon lit? demanda Linda Lee.

– Oui, répondit Lucy en enjambant le fouillis qui jonchait le sol. Mais nous ne dormons pas ici. C'est la fête perpétuelle dans ce pavillon. Toutes les vraies cinglées sont envoyées ici. (Elle sourit.) Bienvenue à la maison des singes! Où sont vos affaires?

Linda Lee écarta les bras.

– Tout est là. Je n'ai rien d'autre.

– Tout est... là? répéta Lucy en regardant le sac à dos.

– J'ai de l'argent mais je n'ai eu le temps de rien acheter. (Linda Lee détourna la conversation en montrant du doigt le poster de Superman.) Vous le connaissez?

– Sûr, se vanta Lucy. Ma sœur a le ticket avec le grand homme. C'est un vrai chou. Je vous le présenterai peut-être un jour... Que voulez-vous dire?... vous n'avez rien eu le temps d'acheter – depuis quand? Depuis quoi? Avez-vous perdu toutes vos affaires dans un incendie? Est-ce comme cela que vos parents sont morts?

Linda Lee détourna les yeux.

– Je préfère ne pas en parler.

Lucy prit un air contrit.

– Je suis désolée. Moi et mes gaffes! Parfois, je ne réfléchis pas. Ecoutez, Linda, ne vous inquiétez de rien. Vous pouvez emprunter mes affaires ou tout ce que vous voudrez. Faites comme chez vous.

– Merci, Lucy.

Linda Lee toucha le poster de Superman du bout des doigts. Tout se présentait vraiment bien.

8

La vie, au collège de Midvale, était tout sauf monotone, ainsi que Linda Lee put rapidement le constater. Les professeurs étaient soit insignifiants, déplaisants ou méchants (parfois les trois à la fois); la surveillante de leur pavillon, Mme M. était toujours soûle, généralement grincheuse, souvent morose; et comme si tout cela ne suffisait pas pour rabattre la bonne humeur naturelle de Lucy et de Linda Lee, il y avait toujours les petites plaisanteries des deux crapauds.

Myra et Muffy. Castor et Pollux. Deux vilains petits boudins. Leurs cheveux étaient uniformément ternes, leurs yeux petits et mesquins, leurs bouches épaisses et gourmandes. Etaient-elles réelles? Etaient-ce des hallucinations? Epouseraient-elles un jour deux crapauds mâles pour donner naissance à d'autres Myra et Muffy? Elles se faufilaient, chuchotaient et ourdissaient leurs plans et lorsqu'un de leurs tours mesquins réussissait, elles s'esclaffaient à l'unisson comme un couple de vautours. Certaines filles les appelaient les deux Molles, par allusion à leur aspect physique et à la préférence qu'elles manifestaient l'une pour l'autre.

Une des plaisanteries typiques de Myra et Muffy était la suivante. Décor : le terrain de jeux, une partie de hockey sur gazon en cours. Personnages : deux équipes d'élèves de Midvale en tenue de gym dont font partie nos trois personnages principaux, Lucy, Linda Lee et Myra-Muffy. Action : Lucy, comme toujours, se donnant à fond. Linda Lee, jouant aussi mais un peu en retrait, pas aussi agressive que Lucy. Myra court vers Lucy, brandissant son maillet, Muffy loyalement sur ses talons. Les cheveux se dressent sur la tête de Linda Lee – et à juste titre. Chargeant en direction de Lucy, Myra lui glisse le maillet entre les jambes, la faisant choir. Muffy s'esclaffe loyalement. Lucy s'étale sur le terrain boueux et Myra rejoint son équipe en courant.

– Elle l'a fait exprès, dit Linda Lee en aidant Lucy à se relever.

– C'est une paire de demeurées. Que peut-on faire ?

Oh! deux ou trois petites choses, pensa Linda Lee, mais elle haussa les épaules d'un air impuissant. Sa réputation était déjà établie sur le campus. Selon l'appréciation générale, c'était une brave fille. Gentille. Pas vraiment simplette mais certainement pas futée. Le genre de fille à hausser les épaules d'un air impuissant.

L'équipe adverse se dirigea vers elles, Myra en tête. Elle lança la balle de toutes ses forces à la tête de Lucy mais celle-ci était encore en train de se brosser, inconsciente du danger. A super-vitesse, Linda Lee se plaça devant son amie. Dans la fraction de seconde qui suivit, la balle heurta Linda Lee et se désintégra. Des morceaux de balle retombèrent partout comme de la pluie.

Tout s'immobilisa. Les filles se pressèrent autour, se bousculant et s'exclamant sur ce qui venait d'arriver.

– C'est incroyable... La façon dont cette balle a explosé! Et regardez Linda Lee, on pourrait croire qu'elle serait au tapis ou évanouie – je veux dire, la balle, paf, elle l'a prise de plein fouet. Regardez-la, comme elle bavarde avec Lucy comme si de rien n'était... (Et elles reprenaient tout depuis le début, ahuries et surexcitées.) Vous avez vu ce qui s'est passé? J'étais derrière Bernice, alors j'ai *entendu*...

– Comment avez-vous fait? demanda Lucy.

Linda la regarda d'un air absent. Lucy se mit à douter de ce qu'elle avait vu ou cru voir... ou bien avait-elle vu quelque chose qu'elle n'avait pas vu?... ou... oh, la balle devait être défectueuse. Elle avait fait son temps. C'était typique de sa chance à elle, Lucy Lane, que les choses se soient passées comme cela, ça, c'était sûr.

– Tout va bien? demanda-t-elle en prenant le bras de Linda Lee. (Linda hocha la tête. Elle avait l'air quand même un peu sonné. Lucy lui serra le bras d'un air rassurant.) Ne vous inquiétez pas, Lucy est là.

Dans le vestiaire, Lucy et Linda Lee étaient assises l'une à côté de l'autre, délaçant leurs baskets.

– Gardez l'œil sur Myra, dit Lucy. (Elle ne voulait pas effrayer la pauvre Linda Lee... mais un homme averti en vaut deux.) Elle veut votre peau.

– A moi? (Linda paraissait étonnée.) Qu'ai-je fait?

Pauvre petite! Si in-no-cente!

– Elle déteste tous ceux qui se mettent en travers de son chemin. Vous lui avez fait rater son coup sur le terrain de hockey.

– Vous parlez de la balle? demanda Linda Lee. C'était juste un accident.

– Accident ou pas, dit Lucy tandis qu'elles se dirigeaient vers les douches, vous l'avez contrée. C'est tout ce qui compte pour elle. La prochaine fois elle vous passera sur le corps. Ecoutez bien maman Lucy et faites gaffe à votre peau.

– J'apprécie beaucoup la manière dont vous vous inquiétez de mon sort, Lucy, dit Linda Lee en lui passant le shampooing.

Lucy régla la chaleur de l'eau.

– Il faut bien que quelqu'un s'occupe de vous, bébé. Vous êtes un agneau parmi les loups. Cette douche est merveilleuse. Je pourrais rester dessous toute la journée... Linda, parfois je me demande comment vous êtes arrivée jusqu'à dix-sept ans, avec la taille que vous avez, tout en restant toujours – comment dire – si innocente.

Linda Lee se rinça les cheveux. Elle faillit dire à Lucy qu'elle ne manquait pas *tant* que ça d'expérience. Mais quelque chose venait d'attirer son attention. Sa supervision pénétra à travers le carrelage et, de l'autre côté du mur, elle vit les deux Molles à l'œuvre dans la chaufferie, en train de bricoler la tuyauterie. Sa superouïe lui permit de tout entendre.

– J'ai hâte d'entendre leurs hurlements, gloussa Myra. (Elle était en train d'essayer de fermer la vanne d'eau froide avec une immense clef à molette.) Aide-moi, idiote!

– Mais, Myra, dit Muffy, si tu coupes l'eau froide, tu vas les ébouillanter. (Sa mère prétendait toujours qu'elle avait bon cœur.) Elles auront des brûlures et des cloques. Pourquoi ne fermes-tu pas l'eau chaude pour leur donner une douche glacée? Elles crieront tout aussi fort. Ce sera vraiment marrant.

Myra foudroya son amie boutonneuse du regard. Sa devise était : ébouillanter ou rien.

– Et alors! Elles auront des cloques. (Elle donna un dernier tour de clef à molette.) Cela me brisera le cœur.

Sous la douche, Lucy commentait la partie de hockey.

Hmm, hmm, fit Linda Lee, et elle projeta un rayon de chaleur à travers le mur carrelé en plein sur la clef à molette de Myra qui fut instantanément chauffée à blanc.

Myra poussa un hurlement.

– Au secours! Je brûle! De l'eau!

Elle projeta la clef à molette incandescente à travers la chaufferie contre un tuyau qu'elle creva. L'eau se mit à gicler, inondant Myra et Muffy, trempant leurs uniformes et plaquant leurs cheveux sur leur tête.

– Waaa! protesta Muffy.

– La ferme! dit Myra avec commisération.

Lucy et Linda Lee étaient en train de s'essuyer lorsque Myra et Muffy passèrent devant la porte du vestiaire en pataugeant.

– Mince! elles sont trempées. Je me demande ce qui leur est arrivé, dit Linda Lee.

Lucy haussa les épaules.

– Elles sont peut-être tombées dans une fosse d'aisance.

9

– L'amour... la haine... l'amour... la haine... l'amour!
dit Selena. Les cartes ont décidé. (Elle était confortablement installée sur le siège arrière de sa Cadillac, ses tarots, un livre ancien et le Coffret des
Ombres étalés devant elle sur le comptoir du bar
incorporé. Elle se pencha en avant et tapota
l'épaule du chauffeur.) Biancaaa! Vous m'entendez?
Les cartes disent : l'amour. La nouvelle arme de
Selena. Alors... j'obligerai tout le monde à *m'aimer*.

– Qui aurait l'idée d'aimer une personne aussi
épouvantable que vous? Vous voulez vraiment ruiner votre réputation?

Selena tapa plus fort sur l'épaule de Bianca.

– L'amour au service du mal. Un concept révolutionnaire qui me haussera au zénith. Souvenez-vous,
Bianca, vous aurez été la première à l'apprendre.

La Cadillac passa à proximité du collège de
Midvale qui offrait l'image sereine de l'éducation à
l'œuvre. On apercevait Nigel à une fenêtre, arpentant sa classe tout en harassant ses élèves. Sur le
terrain de jeux, une autre partie de ballon était en
cours (mais Lucy et Linda Lee ne jouaient pas).
Torse nu, Ethan, le jeune homme du Service d'Entretien des Pelouses (dont l'herbe était plus verte)
était occupé à planter des buissons d'ornement.

Bianca écrasa la pédale du frein, projetant Selena
en avant.

– Pourquoi nous arrêtons-nous? demanda Selena.
(Et, se souvenant que bientôt elle allait gouverner le
monde, elle ajouta majestueusement :) Je n'en ai pas
donné l'ordre.

Bianca se prosterna sur le volant, le regard fixé dehors. Elle respirait de façon étrange.

– Ne me parlez pas... Je suis amoureuse.

Selena suivit le regard hypnotisé de Bianca jusqu'à Ethan, torse nu et magnifique.

– Ah! je vois... C'est vrai qu'il est mignon, dit Selena pensivement.

– Oh non! gémit Bianca. Je l'ai vu la première.

Nigel était en train de gribouiller une équation qui prenait toute la longueur du tableau noir.

– XP3 à la puissance dix X 53238585958+MR3 à l'exponentielle 38575765639030, termina-t-il avec brio. A présent, poursuivit-il en se tournant vers la classe, essayez de concentrer vos petits esprits sur ce problème – un problème qui demandait autrefois des semaines de sérieuse réflexion. (Il s'interrompit pour vérifier si tout le monde écoutait attentivement.) Cela, bien entendu, avant l'ère des ordinateurs. *Capito?*

Les filles, installées devant des ordinateurs individuels, hochèrent gravement la tête. Lucy donna un coup de coude à Linda Lee et pouffa.

Dans la classe de Nigel, toute une série d'activités excellentes et même instructives étaient en cours bien que peu d'entre elles eussent quelque chose à voir avec les explications soporifiques de Nigel. Quelques filles, inquiètes et ambitieuses, faisaient de leur mieux pour prendre des notes, tout en sachant très bien que d'ici une heure tous ces gribouillis leur seraient complètement incompréhensibles. Certaines filles appuyaient la tête sur leur main, ayant appris l'art, fort utile, de dormir les yeux ouverts. D'autres se passaient de petits mots. Quelques-unes lisaient des revues. Une fille lisait un livre mais c'était une parfaite abrutie, pas du tout le genre des élèves de Midvale.

– Cela prend toujours beaucoup de temps pour résoudre ce problème, poursuivit Nigel de son air le plus docte (du style : « Je suis le professeur, détenteur du savoir et vous autres têtes de pioche feriez bien d'écouter de toutes vos oreilles, fainéants!), très longtemps sans l'aide de certains algorithmes que je vais peut-être vous dévoiler si vous vous tenez bien pendant quelques secondes.

Gloussements obligatoires des élèves. Linda Lee réprima un bâillement, puis se raidit. Il se passait *quelque chose*. Ses oreilles bourdonnèrent, sa superouïe captait une vibration... une musique à haute fréquence qui ne pouvait signifier qu'une seule chose : l'Omegahedron se trouvait non loin de là. A son poignet, son bracelet émit un rayonnement. Son cœur se mit à battre avec une énergie concentrée. L'Omegahedron se trouvait non loin de là... et elle était prise au piège dans cette pièce.

Se concentrant intensément, elle darda sa supervision à travers les murs, cherchant... cherchant...

Dans la Cadillac, le Coffret des Ombres se mit à tressauter.

– Il essaie de me dire quelque chose, s'exclama Selena. Qu'est-ce que c'est, mon chou?

Le coffret tressauta plus fort.

– Que se passe-t-il derrière? demanda Bianca.

– Je ne sais pas... (Elle fut distraite par la vue d'Ethan qui ouvrait l'arrière de sa camionnette. Ah, les hommes, ces chers, chers hommes!) Ou plutôt si. Je sais. Mon prince est arrivé.

Bianca observait aussi Ethan. Jetant un coup d'œil rusé vers Selena, elle nota en cachette le numéro de téléphone inscrit sur la camionnette.

Selena sourit. Vraiment, Bianca s'imaginait-elle qu'elle dormait? Elle se pencha par-dessus le siège et lui arracha le papier des mains.

– Parfait.

– C'est injuste, geignit Bianca.

– Et je vous remercie, dit Selena, la gracieuse majesté.

Sur le bar, le Coffret des Ombres vibra violemment. Selena regarda à l'intérieur. L'Omegahedron scintillait d'un éclat extraterrestre, avec une énergie qui le fit presque jaillir du coffret. Oublions Ethan, pensa Selena. En avant! Les hommes ne sont qu'une diversion pour les moments ennuyeux de la vie. *Ceci* est sérieux. Elle referma le couvercle du coffret d'un coup sec.

– A la maison, James, ordonna-t-elle à Bianca. Sur les chapeaux de roues!

Toujours assise devant son ordinateur mais complètement absente de ce qui se passait dans la classe, Linda Lee voyait, grâce à sa vision aux rayons X, une Cadillac dévaler la route en grinçant des pneus et en soulevant un nuage de poussière derrière elle.

– Linda... Lin-daa. Vous êtes sur la lune?

– Comment? (Elle sursauta. Nigel la regardait fixement.) Oh, oui. Oui. (Elle regarda son bracelet. Le rayonnement de la baie diminuait... s'affaiblissait... cessait tout à fait. A nouveau, le bracelet ne semblait rien d'extraordinaire, un simple bijou un peu original.) Je suis ici, dit-elle en faisant un effort pour reprendre ses esprits.

– Vraiment? dit Nigel, magnifiquement sarcastique. Serai-je assez hardi pour vous demander *où*?

– Où? répéta Linda Lee. Mais... ici, sur Terre.

Une cascade de rires s'éleva de la classe.

– Quelle chance pour nous autres! dit Nigel. Puis-je en inférer (satisfait de la formule, il la répéta) en inférer, disais-je, que, tout en contemplant le mur et non pas l'écran de votre ordinateur comme le reste de vos petites amies, vous étiez néanmoins suffisamment absorbée dans vos calculs pour résoudre l'équation?

Linda Lee hocha la tête. Que pouvait-elle faire d'autre?

– Excellent. (Nigel se frotta les mains, comme toujours lorsqu'il trouvait la victime parfaite.) La réponse, mademoiselle Lee? Mesdemoiselles, écoutez attentivement. Nous sommes sur le point d'être éclairés.

Lucy poussa un grognement, étonnée une fois de plus de voir à quel point Linda Lee se débrouillait mal. Pourquoi n'avait-elle pas dit qu'elle avait mal au ventre? Ou qu'elle saignait du nez? Ou qu'elle avait soudain eu le vertige? Elle regarda son amie d'un air résigné mais plein de compassion, avec le regard malheureux d'un spectateur assistant à une mise à mort.

– Cinq milliards, dit Linda Lee, deux cent soixante et onze millions, neuf mille dix.

Nigel battit des paupières. Quelle audace! Inventer un chiffre pareil avec un tel aplomb. Ou... l'avait-elle inventé? Il lui paraissait... juste. Fébrilement, il se mit à feuilleter son manuel du maître.

La cloche sonna et les filles se précipitèrent vers la porte. Seule Linda Lee s'attardait encore et empilait ses livres.

– Filons! lui dit Lucy. Filons avant que le Grand Méchant ne vous fasse rester.

Elle la houspilla si bien qu'elle réussit à la pousser vers la porte.

Assis à son bureau, Nigel venait de trouver la réponse.

– Mademoiselle Lee!

– Ooh, zut! fit Lucy.

– Mademoiselle Lee, avez-vous fouillé dans mes tiroirs?

– Ben voyons, marmonna Lucy. Pas sans une paire de gants de caoutchouc.

Elle fit un sourire éblouissant à Nigel.

– Mademoiselle Lee, comment saviez-vous la réponse correcte?

– Hmm...

Lucy saisit Linda Lee par le bras. Pauvre petit agneau parmi les loups.

– Je répète, mademoiselle Lee. *Comment?*

– Je suppose que... je l'ai devinée.

– C'est ce temps bizarre que nous avons, intervint Lucy en poussant Linda Lee par la porte. Tous ces orages, monsieur. Cela ionise l'atmosphère. Des ondes de choc. L'électromagnétisme. Cela rend les gens brillants, hm, pendant quelques instants. (Pas mal, se félicita Lucy. Elle fit un nouveau sourire étincelant à Nigel.) Il faut que nous partions, monsieur. Au revoir!

Elle entraîna Linda Lee dans le couloir tout en sifflant et en secouant la tête. Elles l'avaient échappé belle.

– Merci, dit Linda Lee. Je devrais apprendre à faire attention sinon je...

Elle se tut soudain.

Lucy la regarda d'un air curieux.

– Sinon quoi? Au fait, comment avez-vous trouvé la réponse?

– Je n'en suis pas certaine. La géométrie six-dimensionnelle. Je n'y suis jamais arrivée auparavant... mais... cela m'est venu tout seul.

– La géométrie six-dimensionnelle? Qu'est-ce que c'est? Bah, ne me dites rien. Laissez simplement maman Lucy vous donner un bon conseil. Continuez à étaler comme ça et personne, mais vraiment personne ne vous aimera plus.

10

En dépit de la gentillesse de Lucy, Linda Lee ne pouvait s'empêcher parfois de se sentir seule; elle pensait plus que « parfois » à ses parents, Alura et Zor-El, et à son cher ami Zaltar. Quelquefois, lorsqu'elle repensait à sa dernière heure sur Argo et à ce qui leur arriverait si elle ne ramenait pas l'Omegahedron, elle frôlait le désespoir. Mais elle était faite d'une étoffe solide et, la plupart du temps, elle refoulait ses sentiments avant qu'ils n'aient de prise sur elle.

Ce qui la surprenait le plus, c'était de souffrir dans son amour-propre. Mais là encore, ce n'était pas si étonnant. Après tout, elle était en réalité une grande blonde éblouissante de dix-sept ans. En tant que simple Linda Lee, tatillonne, timide et hésitante, elle se sentait diminuée. Compréhensible, non?

Linda Lee, née Kara, alias Supergirl, le pensait et se consolait un jour en se coupant les cheveux. Elle était dans la salle de bains, les ciseaux à la main, heureuse dans sa tenue de Supergirl, bleu et rouge, avec des bottes rouges qui lui montaient jusqu'aux genoux, lorsqu'elle entendit Lucy entrer dans leur chambre. Pour être précise, elle entendit Lucy faire irruption dans leur chambre. Lucy entrait généralement quelque part avec le même enthousiasme bruyant qu'elle déployait sur un terrain de hockey ou de sport.

– Hé! Liin-da, ulula-t-elle en tambourinant à la porte de la salle de bains. Vous êtes là-dedans?

– Oui.

Lucy s'assit sur son lit et se mit à curer la boue de ses baskets. Elle poussa un gloussement en regardant le côté de la chambre réservé à Linda. Elle se sentait vraiment mal à l'aise en voyant le lit bien fait, le mur sans décorations. Elle poussa une partie des affaires qui traînaient sur son lit, les faisant tomber par terre, tout en méditant sur sa camarade de chambre. Qui était donc Linda Lee? Se prenait-elle pour une nonne? Pas de photos de famille ni de posters au mur, pas d'emballages de bonbons sur sa table de nuit, pas de sacs de chips vides craquant entre les draps. Cette fille était sur la mauvaise pente. Il faudrait qu'elle ait encore une conversation à cœur ouvert avec Linda Lee. Laissez aller, lui dirait-elle. Décontractez-vous. Profitez un peu de la vie.

Cette fois, elle la secouerait vraiment. Il lui semblait qu'elle était sur le point de se brouiller avec Linda Lee. Lucy n'admettrait jamais que quelqu'un qu'elle aimait bien – et elle aimait bien Linda Lee quoique parfois elle se demandât pourquoi –, qu'une de ses amies fût aussi, eh bien, bêêê, que l'était parfois Linda.

Lucy s'agita sur son lit, impatiente de porter son estocade.

– Vous avez bientôt fini, Linda?

– Un instant. Je suis en train de me couper les cheveux.

Oh non! Ce serait le désastre du siècle! Lucy bondit.

– Laissez-moi entrer, Lin. Je vais le faire. Personne ne peut couper ses propres cheveux. Je l'ai fait une fois et c'était une *catastrophe*.

– Non, merci. Je peux me débrouiller.

Lucy se rassit en haussant les épaules et reprit ses baskets. Certaines personnes avaient besoin de faire leurs propres expériences pour apprendre. Peut-être ne dirait-elle rien à sa camarade. Elle ne pouvait tout de même pas la tenir par la main TOUT le temps. Elle fit gicler un peu de boue sur le lit tout pimpant de Linda. Voilà! Cela donnait une petite touche plus intime.

Dans la salle de bains, Supergirl se regardait dans la glace. Cela lui faisait plaisir de porter ses propres vêtements, sa coiffure, et d'arborer une expression naturelle sur son visage. C'était bon de pouvoir lever la tête et, même si ce n'était que pour elle, de pouvoir s'estimer à sa juste valeur.

Mais il fallait s'activer un peu. Elle ne pouvait pas rester enfermée dans la salle de bains toute la journée. Elle sépara une autre mèche de ses cheveux, regarda dans le miroir et projeta un rayon de super-énergie qui rebondit sur le miroir et vint couper environ deux centimètres de ses mèches blondes exactement à l'angle voulu. Excellent. Elle prit une nouvelle mèche et répéta la même opération.

Lucy examina Linda Lee qui sortait de la salle de bains.

– Je croyais que vous les aviez coupés. Cela ne se

voit pas. Ils ont le même aspect. Un peu ternes. Ne vous offensez pas, mais vous pourriez vous faire quelques mèches.

– Oh non! Je ne ferai jamais une chose pareille.

– Linda, vous ne voulez donc jamais changer d'allure? Devenir quelqu'un d'autre juste pour quelques minutes? Cela ne vous fatigue pas d'être toujours la même? Ne vous vexez pas. Vous ne seriez pas mal du tout si vous aviez un tout petit peu de chic.

– Vous croyez?

Linda Lee se mit à ranger le bureau, enfoui sous le désordre de Lucy. Il y avait des revues, des mégots de cigarettes, une bouteille de mayonnaise, des capsules de bouteilles, un fume-cigarette vert cassé, trois chaussettes sales (chacune d'une couleur différente), cinq crayons à bille qui ne marchaient pas, quatre-vingt-huit centimes et deux clefs qui n'ouvraient rien.

– Et si nous vous faisions un rinçage blond? Attendez une seconde. Pourquoi ne vous percerais-je pas les oreilles?

Linda Lee ramassa un des soutiens-gorge de Lucy.

– Qu'est-ce que c'est, Lucy? demanda-t-elle.

– Très drôle. N'essayez pas de changer le sujet qui est de percer vos oreilles.

– *Quoi*, mes oreilles?

– Oh, ne me regardez pas avec cet air d'agneau terrorisé, Lin. Je sais le faire aussi bien que les spécialistes. Tout ce dont j'ai besoin, c'est d'une aiguille. Je la fais chauffer, je désinfecte les lobes des oreilles avec de l'alcool, je les perce et c'est fini. Vous êtes transformée. Vous avez des tonnes de chic. Toute votre personnalité s'épanouit. Et, P.S., tous les garçons vous courent après.

– Tout cela, dit Linda Lee d'un air étonné, simplement parce que j'ai des trous dans les oreilles?

A cet instant, Lucy faillit jeter l'éponge. Un sombre désespoir lui étreignit le cœur. Pourquoi se donnait-elle tant de mal? Cette fille était impossible? Et comment est-ce que, elle, Lucy Lane, la fille avec du chic à revendre, avait pu s'acoquiner avec ce résidu déliquescent de la Grande Dépression?

– Linda, asseyez-vous et écoutez tante Lucy.

Elle poussa un soupir. Le cœur n'y était pas mais elle se dit que le moins qu'elle puisse faire était *d'essayer* de sauver sa camarade en dépit d'elle-même. Puis, avant d'avoir eu le temps de prononcer une seule parole, elle eut une soudaine illumination. Elle se rendit compte que Linda avait un sens de l'humour pince-sans-rire tout en arborant un visage impassible. *Qu'est-ce que c'est?* Comme si un soutien-gorge était un instrument de torture médiéval. *Quoi, mes oreilles?* comme s'il s'agissait d'un rituel bizarre. Ouaf, ouaf. Ayant retrouvé toute sa bonne humeur, Lucy changea de sujet.

– Où allez-vous pour le week-end?

– Nulle part.

– Vous restez ici? Pas question! Après le départ de tout le monde, cet endroit sera aussi amusant que la tombe de Cléopâtre.

– Pourquoi partez-vous tous?

Lucy secoua la tête. La voilà qui remettait ça. Ouaf, ouaf. Très bien. Fais comme elle, ma fille.

– A cause d'un petit congé appelé jour de commémoration des morts, fit-elle, le visage aussi impassible que Linda Lee. (Puis elle ne put contenir plus longtemps son enthousiasme.) Trois jours de congé! Youpiii! (Elle se planta une fleur de papier entre les lèvres et, à peine gênée par ses baskets, elle se mit à danser à travers le désordre qui jonchait le sol.)

– Vous savez quoi? dit-elle en s'étalant au travers de son lit. Vous allez venir chez moi pour le week-end. Ce n'est pas loin. J'habite à dix kilomètres d'ici. Nous ferons la foire, nous pourrons nous empiffrer comme des cochons et nous irons faire un tour à Chicken City – oh, attendez! – vous ai-je parlé de ce type, Jimmy Olsen, qui vient de Metropolis pour me voir? Attendez de l'avoir vu. Il connaît votre cousin Clark. Je pourrais m'arranger pour que Jimmy amène un des ses copains pour vous. (Elle pensait en elle-même : il a intérêt à trouver *quelqu'un*.)

– Merci, répondit Linda Lee, mais je crois que je vais plutôt rester ici. J'ai des tas de choses à faire, Lucy. Vraiment.

Avant que Lucy ne puisse protester, Judy, dont la chambre était située de l'autre côté du bâtiment, passa son visage rond, couvert de taches de rousseur, par la porte.

– Hé, les filles! Gloria vient de recevoir ce paquet bizarre de ses parents, un sèche-cheveux qui fait du pop-corn. Elle l'a descendu au foyer et il est hors de contrôle.

– On y va, s'écria joyeusement Lucy et elle plongea dans le couloir.

– Lucy, s'exclama Myra, le chef des crapauds. Où est votre copine de chambre?

Lucy ingurgita une poignée de pop-corn et fit comme si Myra n'existait pas. Muffy, le crapaud en second, plaquait des accords sur une guitare acoustique. « Rien ne vaut ma mai... sooon », roucoulait-elle. Le foyer était plein de filles qui dansaient, buvaient de la limonade et mangeaient du pop-corn. Ah oui, le pop-corn. Le sèche-cheveux était vraiment devenu fou. Le foyer était transformé en paradis du pop-corn. Il vous craquait sous les pieds, on s'asseyait dessus, il y en avait dans les abat-jour, les chapeaux, les corbeilles à papiers.

La surveillante, connue sous le sobriquet de Mme M., entra en titubant... hm, regardant autour d'elle d'un air furieux.

– Bon! Qui va nettoyer cette cochonnerie? Hein? (Comme personne ne lui répondait – en fait, personne ne lui répondait jamais, nulle part – Mme M. se répondit à elle-même.) Pas moi.

Satisfaite par ce dialogue, elle repartit en titubant.

– Je vous parle, Lucy, insista Myra. Où est votre copine de chambre? Non, ne répondez rien. Je sais. Elle est sortie déjeuner. (Cette remarque pleine d'esprit fit éclater Myra de rire.) Ha, ha, ha!

Lucy capitula.

– Elle a appris que vous seriez ici, Myra, et elle a eu un malaise. (A cet instant précis, Lucy aperçut Linda qui se frayait un passage à travers la pièce, les bras chargés de livres.) Linda! (Elle agita la main.) Linda, venez avec nous. Nous avons besoin d'aide pour tout ce pop-corn.

– Hm, non merci, il me colle toujours aux dents.

– Comment? dit Myra en s'avançant vers Linda Lee et en saisissant ses livres. Nous ne sommes pas assez bien pour vous?

– Pourriez-vous me rendre mes livres, s'il vous plaît?

– Dites, s'il vous plaît.

– Je l'ai dit.

– Répétez-le.

Linda Lee décida de ne pas se fâcher.

– S'il vous plaît, pourriez-vous me rendre mes livres?

Myra laissa tomber les livres sur les pieds de Linda.

– Bon sang, quelle nouille!

Judy se pencha pour aider Linda Lee à ramasser ses livres.

– Géographie? s'exclama-t-elle. Vous êtes inscrite en *géographie*, Linda? Midvale et ses sites *remarquables*?

– Abrégé, dit Muffy d'un air intelligent, et Myra et elle éclatèrent de rire à nouveau, Ha, ha, ha!

Linda ramassa ses bouquins.

– En fait, j'essaie d'apprendre tout ce que je peux... (Elle vit le regard alarmé que lui lançait Lucy mais poursuivit malgré tout.)... sur l'endroit où je vis. (Le regard de Lucy lui signifiait qu'elle avait encore fait une gaffe.) Eh bien... merci de m'avoir aidée. Il faut que j'aille étudier maintenant.

– Il faut que j'aille étudier maintenant, singea Myra. Je ne suis pas encore assez BARBANTE.

Lucy se retourna d'un bloc.

– *La ferme*, Myra.

– C'est vous qui me ferez taire?

Les deux filles s'affrontèrent du regard. Muffy se remit à chanter. « Si humble soit-elle... » Et Linda Lee, après un regard contrit à Lucy, se hâta de sortir de la pièce.

11

Ainsi que l'avait prédit Lucy, pas une âme, depuis le directeur jusqu'au dernier des concierges suppléants, ne resta au collège durant le week-end prolongé. Seule Mme M. s'installa chez elle avec une caisse de bière. Vendredi après-midi, les filles ainsi que les professeurs jaillirent des bâtiments pour s'engouffrer dans les voitures qui les attendaient, à une vitesse qui aurait fait pâlir Supergirl. Cependant, comme c'était Linda Lee qui contemplait cet exode, elle ne fit que gratter le sol du bout du pied et agiter mollement sa main.

– Je vous attends chez Popeye, lui cria Lucy tout en plongeant dans la voiture de ses parents.

– J'essaierai d'y être.

Lucy sortit la tête par la vitre.

– Pas question d'essayer, Linda! Je compte sur vous.

Nigel sortit en se hâtant du bâtiment.

– On n'est pas encore venu vous chercher, mademoiselle Lee?

Il fit une grimace censée représenter un sourire amical et poursuivit son chemin sans attendre de réponse.

Le silence retomba sur le collège. Linda Lee prit une profonde inspiration. Elle se sentait comme quelqu'un dont on aurait maintenu la tête sous l'eau... longtemps... et dont les poumons auraient été sur le point d'éclater... Et maintenant, tout à coup, elle pouvait respirer à nouveau. Elle était seule. Alors, adieu gentille petite Linda Lee et bonjour Supergirl, son vrai nom. Mais doucement, ne sois pas impatiente, il n'est pas encore temps... Prenant sa carte de Midvale, Linda Lee l'examina attentivement, prenant mentalement des repères précis. Lorsqu'elle fut satisfaite de son examen, elle se redressa, lissa soigneusement son corsage et se dirigea vers l'arrière du bâtiment.

Peu de temps après, des douzaines de citoyens de Midvale, dans tous les quartiers de la ville, sortant de leurs bureaux et magasins (le moral encore meilleur que d'habitude grâce à la perspective du long week-end), ces citoyens s'arrêtèrent à côté de leurs voitures, avant de monter dans le bus ou d'entrer dans un magasin, arrêtèrent toutes leurs activités pendant un instant, le regard irrésistiblement attiré vers le ciel, pas par un vol de merles à ailes rouges, mais par le spectacle splendide de Supergirl, les bras collés au corps, s'élevant... s'élevant droit dans le ciel bleu, aussi nette qu'un dessin d'enfant... *Regardez, regardez*, crièrent-ils, *avez-vous vu ce que j'ai...* Mais aussi soudain qu'elle était apparue, la vision s'évanouit et ils se demandèrent s'ils l'avaient vue ou rêvée.

Et maintenant, volant très haut dans le ciel en décrivant des cercles au-dessus de la petite ville comme un épervier, Supergirl se mit en quête de l'Omegahedron. Son regard aux rayons X pénétrait dans chaque logement, chaque usine, chaque bureau. Où? Où est-il? Combien de temps Argo peut-elle vivre encore sans l'énergie?

Dans un autre quartier de Midvale, Selena aussi était en train d'étudier, de perfectionner, toujours, son art. Un livre ouvert devant elle, une paire de lunettes perchée sur le bout de son nez splendide, elle méditait sur un ancien philtre d'amour. Commen-

cez avec une araignée prise à même sa toile... Facile.
Elle tendit la main et en attrapa une au-dessus de sa
tête. Mettez la chère petite bête dans une coquille
de noix et faites bouillir. Sitôt dit, sitôt fait. L'araignée, saisie dans de l'huile bouillante, surnageait.
Oups. Il fallait ajouter un peu de sa toile dans
l'huile. Elle ajouta la toile gluante, s'essuya les
doigts et remua en chantonnant une incantation :

« Celui qui me boira, lorsqu'il s'éveillera

Tombera amoureux de la femme qu'il verra. »

Je serai la première sur qui son regard se posera.
Les yeux d'Ethan. Oh, quel esprit malin, démonia-
que, monstrueusement fourbe que le sien! Elle
venait d'avoir une idée géniale – celle d'appeler le
Service d'Entretien des Pelouses & de Destruction
des Insectes (appelez-nous 24 heures sur 24) pour
une intervention urgente. C'était véritablement une
urgence. Le philtre d'amour était au maximum de
son potentiel d'efficacité.

On sonna à la porte. Selena sourit. Elle appréciait
un homme qui venait quand on l'appelait. Quelle
célérité! *Celui que me boira...* Mer...veil...leux. Elle se
glissa vers l'entrée et ouvrit la porte. Quelle surprise!
Ethan, le beau jardinier musclé, avec son tee-shirt,
adorable avec ses lunettes de soleil d'aviateur, nonchalant avec son chewing-gum. Mer...veil...leux!

– Oui? fit Selena en lui décochant un de ses plus
beaux sourires.

Ethan s'inclina gracieusement.

– Je suis le Service d'Entretien...

Selena faillit fondre en larmes. Oh, non! Juste au
moment où elle croyait tenir un être vivant.

– ... et de Destruction des Insectes, termina
Ethan. Je cherche une certaine Mlle Selena.

– C'est *me*, répondit Selena sur un ton sophisti-
qué.

Les bracelets qui couvraient son avant-bras s'entrechoquèrent lorsqu'elle fit signe à Ethan d'entrer.

A l'intérieur, Ethan regarda tout autour de lui. L'endroit avait quelque chose de... hm... étrange. Pas de fenêtres. Drôle d'ameublement.

– Décor inhabituel, dit-il d'une voix un peu faible. Quelle est... l'urgence? je suis à votre service. Vingt-quatre heures sur vingt-quatre, ajouta-t-il.

– Splendide, ronronna Selena. Mais ne nous précipitons pas.

– Je facture à l'heure.

– C'est *very* bien en ce qui me concerne.

Bianca apparut, les bras étendus, en équilibre sur un gigantesque ballon de cirque. En voyant Ethan, ses yeux s'agrandirent et brillèrent. Lorsque lui l'aperçut, ses yeux se rétrécirent et se voilèrent. Ho, mon garçon! Curieuse maison et quelle maison! Quelles ménagères! Belles femmes. En fait, SUPERBES. Il se passa la main dans les cheveux. Il aimait la façon dont les deux femmes le regardaient... Ce n'était pas qu'il n'en avait pas l'habitude. Malgré tout, chaque fois que cela arrivait, il ne lui déplaisait pas d'être dévisagé ainsi par une jolie femme.

– Comment va? dit-il à Bianca.

– Ça roule.

Elle fit le tour d'Ethan sur son ballon tout en lui faisant sa vieille œillade.

Selena lui jeta le mauvais œil. *Fiche... le... camp... Bianca... Il... est... à... moi.* Bianca continua de tourner autour d'Ethan. *Je m'occuperai de toi plus tard. J'ai à faire maintenant.* Elle se tourna vers Ethan.

– Voulez-vous prendre une bière avant que nous nous mettions au travail?

– Eh bien, si vous vous joignez à moi, mes gracieuses demoiselles...

Si poli! Tellement plus que ce lourdaud de Nigel! Selena rayonnait. Tout en chantonnant, heureuse comme une petite araignée qui vient d'apercevoir un mets appétissant, Selena prit deux bières dans le réfrigérateur (pas pour toi, Bianca... tu saisis *maintenant?*) et versa quelques gouttes du philtre d'amour dans l'une d'elles.

– Shalom.

Elle tendit la bière à Ethan.

– A la vôtre.

Comme les vrais durs à la télé, il avala deux bonnes gorgées, vidant presque la boîte.

– Ce à quoi je pensais en ce qui concerne votre travail, commença Selena... (Elle s'interrompit pour chercher ses mots.) Hmm... J'aimerais égayer cet endroit un peu. (Elle était déjà gaie rien que de voir Ethan.) Peut-être quelques plantes vertes suspendues et des fougères dans les coins, dit-elle en se sentant tout à fait dans la peau d'une petite maîtresse de maison.

– Grrrg, fit Ethan. (Puissant breuvage. Sa langue était empâtée.) Des plantes d'intérieur? Dans un endroit aussi sombre? Ur... ur... gence. C'est ça.

Son cerveau aussi semblait empâté. Mlle Selena était splendide. Ces cheveux... ces yeux... Si elle voulait des plantes vertes, Ethan lui en donnerait. Combien de plantes d'intérieur planterait un planteur de plantes d'intérieur si un planteur de plantes d'intérieur pouvait planter des plantes? Son cerveau était brumeux. Il but une nouvelle gorgée de bière pour s'éclaircir les idées. La brume s'épaissit. Il voulait demander à la belle femme aux ongles rouges d'allumer la lumière. Il voulait demander à la jolie femme dont les cheveux bouclés retombaient sur les yeux pourquoi elle ne cessait de tourner... tourner... tourner...

– Combien de plantes... bafouilla-t-il.

Il tituba tout en s'efforçant de remettre ses idées en place. Quelque chose concernant les plantes... l'obscurité... la bière? Ce fut sa dernière pensée avant qu'il ne s'abatte comme un arbre coupé.

Bianca se jeta en travers de son corps prostré.

– Que lui avez-vous fait? Vous l'avez peut-être tué.

La sonnette de la porte retentit.

– Allez répondre, et je ne veux voir personne, dit Selena en relevant Bianca énergiquement. (Elle se pencha sur Ethan et lui caressa la joue.) Dormez bien, ronronna-t-elle. Bientôt, vous vous réveillerez et vous serez tout à moi.

Mais tout en le disant, son excellente humeur fut gâchée parce qu'elle se souvint des annotations savantes qu'elle avait lues en marge de la recette du philtre d'amour. *1) En Kasmanie, où le philtre était bien connu au Moyen Age, il était réputé n'agir qu'une seule journée.* Klemper. *2) Des études montrent que le philtre n'agit pas plus de six heures.* Kooper. *3) De nombreux rapports de Kresmier, dont aucun n'est vérifié, affirment que le philtre cesse d'agir au lever du soleil.* Karmichael.

Les rats! Ethan serait tout, tout à elle – mais pas pour longtemps. Flûte! Elle aurait dû choisir une meilleure recette. Oh, bon... il faut bien acquérir de l'expérience. En attendant, il fallait qu'elle tire le meilleur parti de ce qu'elle avait. Saisissant Ethan sous les bras, elle le traîna vers sa chambre.

– Selena! s'écria une voix inopportune dans l'entrée. Selena! C'est moi, Nigel. Dites à votre petite copine de me laisser entrer. Je ne partirai pas avant de vous avoir parlé.

Nigel, à cet instant délicat! Selena laissa tomber Ethan avec un ploc.

– Eh bien, qu'y a-t-il? demanda-t-elle en s'avançant majestueusement.

– Je suis venu pour vous parler sérieusement. J'ai une proposition à vous faire... une offre à laquelle vous ne pouvez pas résister.

Vous voulez parier? pensa Selena. Elle toisa Nigel d'un œil sans aménité.

– Parlez donc, mais soyez bref. J'ai d'autres choses plus intéressantes à faire que de vous écouter.

Nigel s'éclaircit la voix d'un air important.

– C'est au sujet de cette chose que nous avons trouvée lors de notre pique-nique.

– Pas nous, Nigel. Moi.

– J'ai beaucoup réfléchi à ce problème, Selena, et je suis convaincu que le trucmachinchose ne donnera pas son plein rendement avant que (Nigel baissa la voix et haussa les sourcils) vous n'internationalisiez votre pouvoir. (Voilà qui devrait impressionner Selena. Il savait depuis longtemps que la meilleure manière de toucher son petit cœur cruel était de l'aider dans ses projets despotiques. Parfait, en ce qui le concernait. Elle pouvait être présidente du monde tant que lui serait son vice-président.) Certaines invocations mosaïques sont indiquées ici, poursuivit-il magistralement...

– Certaines quoi? demanda Bianca. Parlez clairement, professeur.

Elle regarda Selena qui haussa les épaules en signe d'ignorance.

– Alooors, dit Nigel, en lançant un coup d'œil significatif de Bianca à Selena, alooors, vous ne savez pas. Cela ne sert à rien de se conduire en amateur; lorsqu'on agit sur une grande échelle, il faut faire appel aux professionnels. Ceci est un gros morceau. Vous avez besoin de moi, Selena.

– Où ai-je déjà entendu cela, Nigel? demanda

Selena d'un ton mesuré. Personne ne connaît les charlatans aussi bien que moi. Au revoir. J'ai eu un vif déplaisir à vous voir.

Elle lui claqua la porte au nez.

– Certaines personnes... dit Bianca, vous savez quoi.

Selena la planta là, impatiente de retrouver Ethan avant qu'il ne se réveille. Elle n'avait pas du tout envie qu'il voie Bianca avant elle. Elle se précipita au salon où elle l'avait laissé étendu inconscient par terre. Il avait disparu.

Durant les quelques minutes où Selena repoussait Nigel à la porte principale, Ethan s'était réveillé de son sommeil de drogué. Désorienté, l'esprit nébuleux, il tituba d'une pièce à l'autre et parvint enfin à sortir du Train Fantôme par une porte dérobée. Dehors, en dépit de l'air frais, il ne parvint toujours pas à reprendre ses esprits. Il se sentait mal et n'arrivait pas à se rappeler pourquoi il était venu ici. Glissant et titubant à chaque pas, tenant sa pauvre tête entre ses mains, il dévala un remblai qui bordait le terrain forain.

Selena était en rage. Maudit soit ce Nigel. Sans lui, elle aurait encore Ethan. Et maintenant, le premier être vivant qu'Ethan verrait, il l'aimerait de tout son cœur. Cela pourrait être un chien, un poulet. Cela pourrait être un *cafard* et il l'aimerait malgré tout, tellement qu'il ne daignerait pas lui accorder, à elle, la ravissante Selena, le moindre regard.

– Où est-il? hurla-t-elle. Ethan! Je veux que vous reveniez!

Elle courut jusqu'à sa chambre pour chercher le

Coffret des Ombres et le trucmachinchose. Qu'il lui soit utile pour une fois au moins!

Tout en s'éloignant rapidement du Train Fantôme dans sa voiture, Nigel lui aussi était bouleversé. Sa déception devant le congé brutal que lui avait signifié Selena avait profondément marqué son âme. Qui osait prétendre que les hommes n'étaient pas aussi sensibles que les femmes? Tandis que Selena piquait une crise dans le Train Fantôme, pleurant la perte d'Ethan à sa façon bien particulière, Nigel aussi souffrait à *sa* façon. Il grilla trois feux rouges et quatre panneaux STOP, frôla un vendeur de fleurs aveugle, mais, malheureusement, ne parvint pas à renverser une troupe de louveteaux. Broyant toujours du noir, il prit à partie un piéton estropié coincé au milieu de la rue par le changement des feux de signalisation.

– Dégagez votre stupide corps défectueux du milieu de la chaussée, espèce de retardé mental.

Voilà. Selena en pleine souffrance. Nigel déprimé. Et Ethan? Titubant sur la grand-route tandis que les voitures passaient en vrombissant, il faillit se faire renverser plus de dix fois. Ethan était étourdi.

Et Supergirl – où était-elle et comment allait-elle? A vrai dire, Supergirl était découragée. On pourrait même dire super découragée. Elle n'avait pas repéré l'Omegahedron. Elle volait de plus en plus bas et, lorsqu'on la vit pour la dernière fois, elle s'engouffrait dans une large canalisation. Peu de temps après, Linda Lee sortit à l'autre extrémité, lissa ses cheveux, passa la main sur sa jupe et se dirigea d'un pas décidé vers la route.

12

Jimmy Olsen, jeune reporter, avait quelque chose qui éveillait chez Lucy à la fois la colombe et la tigresse. C'était dû à sa chemise, presque toujours tachée, à ses cheveux où traînait parfois une miette de hamburger ou une goutte de ketchup, et à la manière dont il la regardait avec ses yeux de bébé, ces yeux qui contemplaient le monde avec l'innocence gourmande d'un enfant convaincu d'être le centre de l'univers.

Oh, oui! s'était surprise à penser Lucy en voyant ce regard innocent et gourmand posé sur elle, oh, oui, Jimmy Olsen, vous *êtes* le centre du monde, le centre de *mon* monde à moi. Mais en fait, ce que Lucy disait habituellement était plutôt du genre : « Vous voulez des boulettes ou du poulet rôti? On va chez Popeye ou à El Hambra Hut? »

Après avoir réfléchi à la question pendant quatre ou cinq minutes, Jimmy prenait une décision fulgurante : « Je veux du bon vieux poulet rôti. Chez Popeye. »

On allait donc chez Popeye. Tout ce que Jimmy voulait...

Popeye était bourré de jeunes, écoutant de la musique rock et mangeant du poulet rôti. Lucy espérait que Linda Lee se montrerait aussi chez Popeye mais elle n'y comptait pas. Comme elle le dit à Jimmy, elle ne parvenait pas vraiment à se faire une idée sur Linda. Gentille fille, facile à vivre, mais Lucy la plaignait pour deux raisons : elle était orpheline et n'avait que Lucy comme amie. Mais...

– Elle est un peu paumée, confia-t-elle à Jimmy.

Je dois veiller sur elle. Vous avez intérêt à être gentil avec elle, ajouta-t-elle (comme une tigresse).

Jimmy tripota l'appareil photo qui lui pendait au cou. Cette Lucy... il ne pouvait s'empêcher d'être fou d'elle. Cette masse de cheveux bouclés, cette expression décidée sur son mignon petit minois... cette façon de serrer les poings...

– C'est sûr, Lucy, que je serai gentil avec elle.

Lucy tapota le bras de Jimmy d'un air rassurant.

– J'en étais certaine, dit-elle (tendrement cette fois-ci). Je ne peux pas m'empêcher de me faire du souci pour Linda Lee.

– C'est parce que... (Jimmy baissa les yeux, puis regarda le plafond, ensuite par la fenêtre – regarda tout sauf Lucy) parce que vous êtes si – vous savez – si...

– Si... quoi?

– Si... si...

Bouillonnant d'excitation, Lucy lui aurait bien soufflé quelques suggestions pour l'aider à finir sa phrase. Dans le genre, VOUS ÊTES SI MERVEIL-LEUSE, JE VOUS AIME, ou, VOUS ÊTES FANTAS-TIQUE ET JE VOUS AIME, ou encore, VOUS ÊTES DÉLICIEUSE ET JE VOUS AIME.

Les autres de leur bande, assis avec eux, se mirent à crier leurs commandes à Jimmy :

– Hé, Olsen, apporte-moi du poulet rôti suprême...

– Et moi, un double poulet rôti spécial avec salade double...

Lucy agita la main pour les calmer.

– Taisez-vous, vous autres.

A en juger par l'expression de ses yeux qui s'étaient enfin posés sur elle, Jimmy était sur le point de lui dire quelque chose d'important.

– Lucy...

– Oui, Jimmy?

– Oh, Lucy... je vous recommande vraiment les ailes de poulet suprême. Je vais aller passer les commandes.

Cela mit Lucy d'humeur massacrante.

– Oh, mon chou! s'exclama-t-elle à mi-voix. (Heureusement, peu de temps après, elle retrouva sa bonne humeur en voyant Linda Lee entrer chez Popeye. Elle se tenait sur le pas de la porte comme un petit – enfin, pas vraiment *petit* – agneau perdu.) Linda! Vous avez réussi à trouver! (Lucy se précipita et fit la bise à Linda, beaucoup plus grande qu'elle.) Je vous guette depuis une éternité. Vous n'avez pas eu trop de mal à trouver?

Linda secoua la tête.

– J'ai senti l'odeur à dix kilomètres – je n'ai eu qu'à suivre mon nez.

Lucy rit et, pendant un moment, Linda Lee se demanda ce qu'il y avait de drôle. Puis elle se rappela que c'était Supergirl et *pas* Linda Lee qui avait six super sens. Sa bévue l'embêtait. Il *fallait* qu'elle reste Linda Lee lorsqu'elle était avec Lucy; qu'elle ne soit que cette copine d'école toute simple.

– La bande se trouve là-bas, dit Lucy. Et voilà Jimmy. (Elle fit un signe en direction du bout du comptoir où Jimmy empilait des assiettes de poulet rôti sur son bras.) Il est mignon, n'est-ce pas? Je suis sûre qu'il m'aime... et moi, je le lui rends bien.

Lucy prit Linda Lee par le bras, l'entraîna vers Jimmy et fit les présentations.

– Lin, voici Jimmy Olsen, le meilleur jeune reporter-photographe de Metropolis! Il travaille au *Daily Planet*. Jimmy, je vous présente Linda Lee, ma camarade de chambre dont je vous ai parlé. Maintenant, il faut absolument que vous vous entendiez bien tous les deux.

Jimmy reposa une assiette de poulet rôti et tendit la main à Linda.

– Un peu graisseuse, j'en ai bien peur... désolé... Alors, vous êtes la cousine de Clark Kent?

Linda Lee parut embarrassée.

– Lucy, chuchota-t-elle tandis qu'elles rejoignaient la table, vous n'aviez pas besoin de lui dire ça. Il va croire que je veux me faire valoir.

– Jimmy n'est pas comme ça.

Elles s'assirent avec les autres. Ils avaient une vue splendide sur la grand-route. Tandis que Jimmy distribuait les assiettes, Lucy fit les présentations. Les noms se succédaient : Jannie, Jodie, Jim, Tim, Joc et Jam, ou était-ce Pam?

– Je ne me souviendrai jamais de tous, dit Linda Lee en rougissant un peu.

– Et moi? demanda un garçon assez mignon nommé Eddie.

Il avait des tatouages bleus sur ses deux mains.

– Ceci n'a rien à voir avec Midvale School, murmura Lucy à l'oreille de Linda Lee. (Elle lui fit un clin d'œil.) C'est la fête ce soir chez Eddie. Ses parents sont partis et il faut que vous veniez.

– Je n'ai pas de permission de sortie pour la nuit.

Lucy leva les yeux au ciel.

– Qui est-ce qui en a? Ce qu'il faut, c'est sortir par la fenêtre de la salle de bains. Mme M. ne s'en apercevra jamais. Elle sera déjà ronde comme une queue de pelle. Tout bien réfléchi, elle doit déjà être sur une autre planète.

– Cela ne me paraît pas très honnête, dit Linda Lee d'un air préoccupé.

Lucy poussa un soupir.

– Linda, mon chou, vous avez deviné. Ce n'est *pas* bien. C'est pourquoi nous allons nous amuser.

Linda Lee hocha la tête.

– Ah, je vois.

– Ouf. (Lucy s'éventa le visage de la main.) Je savais bien que nous allions avoir de petits problèmes pour franchir cette étape.

Dans une autre partie de Midvale, Selena se débattait avec le Coffret des Ombres qui refusait obstinément de s'ouvrir.

– Des ennuis! C'est tout ce que j'ai. Et pourquoi? Je vous le demande. Qu'ai-je fait pour les mériter? Rien!

– Vous avez, comme qui dirait, raison, acquiesça Bianca.

– Larve. Pourquoi êtes-vous toujours de mon avis?

– Vous vous mettez, comme qui dirait, en colère autrement, expliqua Bianca posément.

– Ttt... ttt... ttt...

Selena se détourna de Bianca pour contempler son propre reflet, bien plus intéressant, dans la grande glace à côté de son lit. Ce miroir était ce qu'elle préférait dans toute la maison. Il était entouré d'un cadre de nacre.

Hmmm. Elle était vraiment belle lorsqu'elle se mettait en colère. Peut-être devrait-elle se fâcher plus souvent. Nigel disait toujours... Niiigel! Ce nom évoquait tout ce qu'elle avait perdu – Ethan, le magnifique, l'incomparable Ethan! Et dire qu'elle s'était donné tant de mal, à transpirer au-dessus d'un fourneau brûlant pour fabriquer un philtre d'amour, pour faire venir Ethan jusqu'ici puis lui faire boire le philtre – et tout cela en vain. Gâché. Ethan était en liberté, aussi dangereux qu'un pistolet chargé, prêt à tomber éperdument, désespérément, follement amoureux de quelqu'un – quelqu'un qui *ne serait pas Selena*. Et tout cela à cause de Nigel, ce soi-disant foudre de guerre, ce Roméo aux pieds plats!

Elle se mit à arpenter la pièce puis s'arrêta à nouveau devant la glace.

– Où est Ethan? Selena veut *savoir*!

Sitôt qu'elle eut prononcé ces paroles, il se passa quelque chose d'extraordinaire. Le miroir émit un bruit étrange, à mi-chemin entre un craquement et un bourdonnement, puis s'embruma, se couvrit de stries mauves, se défit et se forma en écran sur lequel apparut la silhouette du tant désiré Ethan, titubant sur la grand-route.

Selena et Bianca en restèrent bouche bée.

Pendant deux précieuses secondes, l'image d'Ethan rayonna de toute sa gloire, puis, aussi brusquement qu'elle était apparue, elle s'évanouit.

– Ethan! Revenez!

– Hm, le circuit est coupé, fit Bianca sur un ton raisonnable et adulte.

– Circuit cui-cui. C'est un miroir, ça. (Selena se remit au travail frénétiquement sur le Coffret des Ombres.) C'était de la magie, bon sang. Le vrai truc! (Selena tira sur le couvercle du coffret qui céda d'un seul coup, lui faisant perdre l'équilibre vers l'arrière.) Bianca, fit Selena d'une voix étrange et étouffée en regardant à l'intérieur du Coffret des Ombres. Venez ici. Regardez cette... chose. Elle grandit, n'est-ce pas?

Bianca se pencha sur la boîte en s'abritant les

yeux contre l'éclat de l'Omegahedron qui brillait plus que jamais.

– Ouais, fit-elle sur le même ton respectueux que Selena. Elle est, comme qui dirait, BEAUCOUP plus grosse, vous savez.

Selena referma le coffret d'un coup sec tout en respirant très fort.

– O.K.! dit-elle. Inutile de s'exciter. (Elle saisit la boîte.) Je veux voir Ethan, ordonna-t-elle.

Le miroir craqua et bourdonna puis se défit à nouveau pour former un écran. Et, une nouvelle fois, Ethan réapparut, titubant au milieu de la route. Une voiture passa à côté de lui en vrombissant, le klaxon bloqué. Ethan, l'œil vitreux, secoua un faible poing dans sa direction.

13

Chez Popeye, Lucy posa sa cuisse de poulet rôti et se pencha pour regarder par la fenêtre.

– Regardez-moi ce dingue là-bas, au milieu de la route! s'exclama-t-elle. Il cherche à se faire transformer en crêpe.

– Qu'est-ce que c'est, un dingue? fit Linda Lee.

– C'est pas croyable, dit Lucy. (Jimmy et Eddie rejoignirent les filles à la fenêtre. Lucy frappa au carreau.) Hé, cadet de l'espace, tire-toi de là!

Ethan tournait en rond. Les klaxons klaxonnaient. Les freins grinçaient. Les chauffeurs hurlaient de fureur. Ethan poursuivait son chemin en titubant.

Selena tenait le Coffret des Ombres à deux mains. Il était vraiment plus lourd. Cette *chose* là-dedans grandissait sans l'ombre d'un doute. Ce qui, raisonna-t-elle, ne pouvait être que bénéfique pour la petite Selena. Parce que si le trucmachinchose à l'intérieur du Coffret des Ombres lui donnait le pouvoir, alors plus le trucmachinchose grandirait, plus elle aurait de pouvoir. Et plus elle aurait de pouvoir, plus elle serait heureuse. Et plus elle serait heureuse, plus TOUT LE MONDE serait heureux. Elle se voyait déjà, faisant signe de la main du haut du balcon du palais présidentiel mondial à la foule qui applaudissait en dessous. Un spectacle plus grandiose que celui de la place Saint-Pierre à Noël. *Selena... Selena... Vive notre bien-aimée gouvernante, Selena!...* Mais elle ne pouvait pas rester sur le balcon trop longtemps. Les affaires mondiales l'attendaient. *La présidente Selena, dans son discours télévisé annuel au peuple, a rassuré...*

Selena tendit le Coffret des Ombres vers le miroir. Il lui avait montré Ethan. Bien. Mais insuffisant.

– Pouvoir présent... entonna-t-elle, pouvoir des ombres... amène-moi Ethan ici!

En passant devant une palissade de bois, Ethan essaya de concentrer son esprit sur les affiches de publicité pour les camions d'occasion et l'équipement des engins pour les Ponts et Chaussées. Si seulement il parvenait à faire fonctionner quelque chose correctement! A défaut de son cerveau, au moins ses yeux ou ses jambes – il se résignerait même aux oreilles si elles voulaient bien faire ce qu'elles étaient supposées faire. Jusque-là, elles ne semblaient pas fonctionner plus mal que le reste, mais soudain elles paraissaient totalement hors de contrôle, lui apportant la nouvelle d'une explosion nucléaire juste de l'autre côté de cette palissade. *Ba-boooum... ba-boooum*. Il ne pouvait y avoir que ça pour faire un pareil raffut. Il se dandina sur place en secouant la tête. Ba-boum, tout faisait ba-boum. Ethan aussi.

– Ba-boum, dit-il tristement en agitant les bras.

La palissade explosa. Des planches volèrent en l'air. Des mottes de boue firent éruption, des clous et des lattes furent projetés partout. *Ba-boooum... ba-boooum...* Ethan resta pétrifié, le regard brouillé, tandis que la mâchoire d'une immense pelle de terrassement apparaissait à l'endroit où se trouvait auparavant la palissade. Les dents d'acier de la pelle dégoulinaient de débris. *Ba-boooum... ba-boooum...* La machine monstrueuse, sans conducteur, s'avança droit sur Ethan. Une fumée noire infecte sortait en volutes de son pot d'échappement vertical. Les mâchoires s'ouvrirent toutes grandes et, tandis qu'elles s'avançaient vers lui, Ethan eut l'impression que l'engin était vivant et animé de volonté.

Cours, pensa-t-il, cours vite, Ethan, sinon le fils préféré de ta mère va avoir de GROS ennuis. Son cœur était bien accroché mais ses jambes ne répondaient pas comme il fallait. Encore flageolantes, elles l'emportèrent en zigzaguant. L'engin tournait, virait et le poursuivait obstinément. *Ba-boooum... ba-boooum...* Ethan s'accroupit derrière une voiture et ferma les yeux. S'il ne regardait pas, l'engin s'en irait peut-être. La pelle mécanique s'avança vers la voiture, mâchoires métalliques ouvertes d'un air gourmand. Ethan entrouvrit les yeux. Oh, oh! Il aurait dû les garder fermés. C'était répugnant. Aucun savoir-vivre. Les immenses dents scintillantes arrachèrent le toit de la voiture et le mastiquèrent comme... eh bien, comme un engin en train de déjeuner. Et si ce repas ne lui suffisait pas? S'il avait envie d'un dessert?

Ethan bondit sur ses pieds et se mit à courir à toute vitesse.

La pelle mécanique virevolta. Elle lâcha le morceau de métal froissé qu'elle était en train de mastiquer et, posément, patiemment, la mâchoire prête, se remit à la poursuite d'Ethan.

Massés autour de la fenêtre chez Popeye, Lucy, Linda Lee, Jimmy Olsen et leurs amis regardaient la scène qui se déroulait dehors en se demandant ce qui se passait. Eddie, le garçon aux tatouages, dit qu'il pensait qu'ils tournaient un film. (Des effets spéciaux.) Jimmy Olsen croyait plutôt à un documentaire télévisé sur les engins des Travaux publics défectueux. Ils le regardèrent tous avec respect. Puisqu'il travaillait pour un journal, il connaissait forcément le dessous des choses.

Mais lorsque Lucy affirma, avec son côté positif, que c'était un engin fou, tout le monde se rendit compte immédiatement qu'elle avait raison.

N'ayant plus qu'une idée en tête – garder ses jambes en mouvement –, Ethan courut vers un immeuble sur lequel clignotait une enseigne au néon rose. La sueur lui coulait dans les yeux. L'enseigne disait AMICAL quelque chose – où était-ce ACCUEIL quelque chose? De toute façon, il avait bien besoin des deux en ce moment et, à toute vitesse, il canonna dans la porte SORTIE qui, naturellement, le rejeta (un peu brutalement) et l'envoya s'étaler de tout son long sur le dos dans la rue.

Trompettant de joie, la pelle mécanique mordit dans le mur d'un bar voisin, terrorisant les patrons qui s'égaillèrent pêle-mêle dans la rue. La pelle recracha le mur – peut-être pas cuit à point – et tourna toute son attention sur Ethan. S'étant remis debout, celui-ci recula. Oh, voyons, ce n'est pas moi que tu veux. Tu as besoin de quelque chose de plus consistant... je n'ai pas bon goût. Parole. Je suis un peu mollasse, pas croustillant... pas même un peu croquant. Essaie ce mur de brique... Il buta, recula encore de deux pas et s'étala. Les mâchoires de l'engin s'ouvrirent d'un air affamé.

Selena souffla sur l'écran-miroir puis le nettoya avec le bord de sa robe de satin blanc.

– Par ici, applaudit-elle, tandis que la pelle saisissait Ethan. Reviens à la maison chez môman, mon petit Ethan.

Lucy était incapable d'endurer ce qu'elle voyait un instant de plus. Ce pauvre garçon sans défense avec ses jambes qui pendaient entre les vilaines dents en acier de l'engin! Il faut que quelqu'un *fasse* quelque chose, pensa Lucy. Ce n'était pas la première fois de sa vie, et elle décida que ce quelqu'un, c'était elle. Elle quitta brusquement ses amis et se précipita dans la rue.

– Lucy! s'écria Jimmy. Bon sang, soyez prudente!

Il courut derrière elle tout en prenant des photos comme un fou en espérant qu'il n'avait pas oublié de recharger son appareil.

Pendant ce temps-là, la pelle mécanique, avec le malheureux Ethan pendillant dans ses mâchoires, roulait avec un bruit de tonnerre vers une station-service. Saisissant le moment opportun, Lucy fit un suprême effort et, bondissant dessus, sauta en voltige sur le siège du conducteur. Elle saisit les commandes. Courage! avait-elle envie de crier au pauvre garçon, mais elle n'en eut pas le temps. L'engin percuta la station-service. Lucy se cramponna, luttant pour en reprendre le contrôle.

Devant son écran privé donnant sur le monde, Selena criait ses encouragements à la pelle mécanique.

– Ne te laisse pas faire... défends-toi... désarçonne cette bécasse... bats-toi, râ... râ... râ...

Toute brave et décidée qu'elle fût, Lucy n'était pas de taille pour la pelle mécanique. Comme un cheval de rodéo essayant de se débarrasser de son cavalier, elle se cabrait, ruait, virevoltait en crachant de la fumée noire. Elle défonça une pile de pneus, renversa un poteau télégraphique dont les fils se rompirent. Lucy, projetée dans tous les sens comme une poupée de chiffon, s'affala, inconsciente.

Chez Popeye, Linda Lee s'en aperçut.

– Excusez-moi... excusez-moi... (Elle se dégagea du groupe.) Excusez-moi, je me sens mal. Je ne peux pas regarder cela.

Eddie leva les yeux au ciel. Cette pleurnicheuse était l'amie de Lucy? Il ne comprendrait jamais les femmes.

Linda Lee se fraya un passage à travers la foule vers le fond de la salle.

– Excusez-moi... pardon...

Elle plongea dans les toilettes pour dames.

Devant chez Popeye, la rue ressemblait à un champ de bataille. Des morceaux de charpente pendaient des immeubles détruits... du verre cassé jonchait la chaussée... une foule abasourdie avançait et refluait sans but. Des voitures se tamponnaient et des bagarres éclataient. La pelle mécanique, cause de toute cette destruction, était devenue complètement folle en apparence.

Elle avait démembré la station-service et, drapée de pavillons rouge et jaune (lavage gratuit pour l'achat de 50 litres d'essence) elle pivota lentement vers la grand-route. Pendant tout ce temps, Jimmy, en vrai professionnel, ne cessait de prendre des photos.

L'action se déroulait dans la rue. Par conséquent, dans la foule qui fluctuait, qui piétinait et hurlait, pas une âme n'eut l'idée ou l'instinct de regarder en l'air pour chercher de l'aide, du moins à temps pour voir Supergirl atterrir sur un toit à proximité. Quel spectacle ils manquèrent! Elle était rien moins que magnifique. Grande, large d'épaules, alerte, le regard calme, ses cheveux blonds flottant au vent, solidement plantée sur ses bottes rouges, elle irradiait la confiance et la force. Si les gens dans la foule avaient eu le bon sens et la chance de tourner les yeux vers elle et de voir Supergirl au-dessus d'eux, ils se seraient calmés immédiatement. Honteux et rassurés par cette apparition, ils auraient mis fin à leurs activités frénétiques et attendu avec calme et confiance qu'elle vînt à bout de cette pagaille.

14

De son observatoire sur le toit d'un immeuble voisin, Supergirl enregistrait la situation dans la rue. Mauvaise. Très mauvaise. Les fils rompus par le poteau télégraphique brisé crépitaient dangereusement. Déjà, plusieurs petits incendies s'étaient déclarés; une fumée noire couvrait le secteur et des vies étaient en danger. Sans perdre de temps, Supergirl concentra son super-rayon visuel calorique sur les isolants du poteau télégraphique. Les fils fondirent et tombèrent par terre, inoffensifs. Et d'un. A présent, les incendies. S'élançant du sommet du toit au plus épais de la fumée, elle se propulsa, tel un boulet de canon, droit sur un réservoir à eau. La tête la première, elle pénétra par une des parois d'acier du réservoir et ressortit par l'autre. Derrière elle, des torrents d'eau jaillirent et se répandirent dans la rue, étouffant le feu.

Selena était irritée. La pelle mécanique paraissait plus étourdie et à la dérive que ne devrait l'être aucun monstre respectable. Seul plaidait en sa faveur le fait que Lucy était toujours inconsciente et Ethan toujours prisonnier des mâchoires.

– Tourne! Tourne... Par ici! ordonna Selena.

La pelle mécanique se mit à tourner comme une folle en cercles de plus en plus larges, détruisant les magasins et rasant les bouches d'incendie.

Ayant réussi à contrôler les feux, Supergirl tourna son attention vers la pelle mécanique en folie. Devant l'engin, ce n'était que terreur, derrière, que destruction. Les bras collés au corps, Supergirl s'envola du sommet du réservoir à eau, le regard fixé sur son objectif.

La foule l'aperçut et des cris rauques s'élevèrent.

– Vous voyez ça? Qui est-ce? se demandaient les gens, le regard tourné vers le ciel.

Cela ne pouvait être Superman. Il était à des millions de kilomètres de là... poursuivant sa mission de paix universelle. Mais elle lui ressemblait tant... le même rouge et bleu... et pourtant elle était différente. Cela ne tenait pas seulement au fait qu'elle était une femme, qu'elle portait une petite jupe rouge sur sa combinaison bleue. C'était plus que cela. Son... oui, son *style* était différent. Dans la foule, les gens se donnaient des coups de coude d'un air averti (vous voyez ce que je veux dire... cet atterrissage?) alors que Supergirl se posait avec grâce sur le toit du monstre.

Là, durant une seconde, comme un athlète se concentrant à cet instant crucial juste avant de se lancer, corps et âme, dans l'épreuve finale, Supergirl s'immobilisa. Et le cœur collectif de la foule sembla aussi s'arrêter entre deux battements. Une seconde, une unique seconde de concentration suprême, puis Supergirl arracha les mâchoires de la pelle d'une seule main. L'engin hurla de douleur dans un grincement de métal.

Dans la foule, c'était le délire. « Oh! s'écriait-on. Bravo! » Comme des mordus de l'opéra, ils éclatèrent en applaudissements frénétiques. Et tandis que Supergirl s'envolait en tenant les mâchoires dans ses bras, ils redoublèrent de cris d'enthousiasme, espérant sans doute un bis.

La pelle mécanique, amputée de ses mâchoires et d'Ethan mais portant toujours Lucy, s'éloigna en zigzaguant sans but dans la rue...

Supergirl déposa les mâchoires de la pelle dans une petite rue déserte et écarta les dents d'acier. Ethan s'y nichait, aussi mignon qu'un bébé dans son berceau. Suprêmement beau, quoique couvert de suie et de gravats, il était aussi complètement inconscient. Mort ou vivant? Vivant, décida Supergirl avec un petit sourire au coin des lèvres. Elle n'avait certes pas oublié Lucy mais elle ne pouvait tout de même pas laisser cet homme inconscient. A super vitesse, elle se retransforma en Linda Lee et gifla Ethan d'une façon très peu Linda Leeesque.

Ethan ouvrit lentement les yeux.

– Tout ira bien, dit une fille penchée sur lui.

Il la regarda d'un air hébété. Un ange. Un ange parfait.

– Pas d'os brisés?

Ethan sourit comme un ivrogne. Il *était* ivre – d'amour. Répétez-le, cher ange. *Pas d'os brisés*. Faites-moi entendre ces mots doux issus de vos tendres lèvres parfaites juste une fois de plus.

A cet instant précis, les lèvres tendres et parfaites de Selena prononçaient une phrase très différente. « Non, non, non! » Un véritable cri de désespoir. D'abord, cette Super-qui-était-elle était venue piétiner ses plates-bandes à elle, Selena, et s'était envolée avec Ethan. Puis l'écran s'était détraqué et avait continué de lui montrer la pelle mécanique, bien qu'Ethan ne s'y trouvât plus. Ensuite, alors qu'elle pensait ne pas pouvoir le supporter un instant de plus, le miroir lui avait retrouvé Ethan – au moment même où il rouvrait les yeux. Et qui donc se trouvait devant lui, si ce n'était cette grande bringue, cette bécasse d'élève de Midvale School. D'où sortait-elle?

– Ne la regarde pas! ordonna Selena. Non, non! Ethan regarda. Ethan sourit.

Selena enrageait. Oh, flûte! Il avait l'air encore plus idiot que cette idiote de Midvale School avec ce sourire d'extase qui lui dégoulinait des lèvres. Puis ses lèvres bougèrent.

– Qu'a-t-il dit? demanda Selena.

Bianca mâchonna son chewing-gum d'un air pensif.

– A mon avis : « Je vous aime. »

Linda Lee venait d'entendre ces trois mêmes mots.

– Vous quoi? demanda-t-elle en aidant Ethan à sortir de la benne.

– Je vous aime. De tout mon cœur, pour toujours. (Il mit la main gauche sur sa poitrine. Oups. C'était le mauvais côté. Il changea de main et pensa tristement à ses erreurs passées, aux nombreuses femmes qu'il avait aimées et abandonnées. Tout cela était fini. Il était un homme nouveau.) J'étais un oiseau libre et insouciant..., dit-il en avançant vers son unique amour,... durant bien des printemps...

– Eh bien! Vraiment?

Linda Lee ne savait que penser. Elle recula tandis qu'Ethan s'avançait en secouant sa chevelure d'un air romantique.

– Restez, mon amour! Laissez-moi vous contempler.

Linda Lee n'eut que le temps de penser qu'il pouvait la voir parfaitement lorsque Ethan, les bras tendus, bondit. L'instant d'après, Linda Lee se retrouvait dans ses bras et il l'embrassait. Bien que ce fût son premier baiser, elle comprit instinctivement que c'était un vrai baiser, approfondi. Elle ferma les yeux et décida de coopérer (au moins pour quelques instants).

Ah! mon amour, mon amour, pensa Ethan. C'était loin d'être *son* premier baiser mais, tout en l'embrassant avec enthousiasme, il conclut que tous les autres baisers qu'il avait donnés et reçus n'étaient que de pâles imitations de baiser, comparés au baiser qu'il donnait à son seul et véritable amour. Il ferma les yeux d'extase (mais non sans ressentir une minuscule étincelle de satisfaction en constatant... eh bien... à quel point il était merveilleux dans ce genre d'exercices).

Un bruit démesuré, chuintant, inégal, parvint sur la brise aux oreilles des deux amoureux. *Ba...a... a... boum... ba... a... a... boum...* Ethan et Linda Lee n'entendirent pourtant rien. Ils ne se rendirent compte de rien... même lorsque la pelle mécanique arriva en vue...

Lucy se redressa en se frottant la tête. La pelle mécanique, grinçant et cliquetant, s'arrêta dans un cahot final. Lucy se demanda où elle était. Qu'était-il arrivé? La dernière chose dont elle se souvenait, c'était lorsqu'elle avait bondi sur l'engin. Son regard se posa sur Linda Lee. Elle en resta bouche bée. Linda Lee? *Sa* Linda Lee en train d'embrasser cet ahuri?

Linda Lee ouvrit aussi les yeux à présent et elle vit Lucy. Non, elle ne vit pas simplement Lucy, elle vit Lucy qui regardait Linda Lee embrasser Ethan.

Dire qu'elle était embarrassée est peu dire. Elle se sentait humiliée, mortifiée, submergée par la honte. Elle avait complètement oublié Lucy, avait abandonné sa seule et unique amie pour un baiser. Linda Lee se détacha des bras d'Ethan et s'enfuit.

Ethan lui courut après tout en déclamant :

– Ce froid mépris, ce regard sombre, me feraient fuir, devant votre ombre... Si de l'amour le dard fatal ne m'avait déjà mis à mal !

Du haut de la pelle mécanique, Lucy poussa un grognement étonné. Incroyable, un type pareil !

Dans la chambre de Selena, le miroir-écran montra fidèlement le départ précipité de Linda Lee du théâtre du baiser. La colère de Selena ne fut pas apaisée par sa fuite devant Ethan. Son cœur avait soif de vengeance.

– Je ne comprends pas pourquoi vous vous souciez d'elle, dit Bianca. Ce n'est rien qu'une affreuse gamine, une grande perche dégingandée. Attendez qu'il repose les yeux sur vous, ajouta-t-elle loyalement.

– Silence. Personne ne se met en travers de mon chemin. Aha ! Vous voyez où elle va ? A Midvale School.

– Selena, j'aurais pu vous le dire. Voyez son uniforme. Qui a besoin d'un miroir magique pour...

Selena n'écoutait pas. Son esprit suivait ses propres méandres tortueux. Du collège de Midvale aux professeurs, des professeurs à Nigel puis à une conspiration contre elle, il n'y avait qu'un pas que Selena était prête à franchir. Elle fit claquer ses doigts.

– Nigel a combiné tout ça.

Bianca fit entendre la voix de la raison.

– Je ne vois vraiment pas comment.

– Alors, vous croyez qu'elle s'est trouvée par hasard au mauvais endroit au bon moment? C'est çela? Qu'elle s'est trouvée là lorsqu'il s'est réveillé pour qu'il puisse la voir la première?

– Ce que je pense, c'est que vous devriez, comme qui dirait, la laisser tranquille et vous préoccuper de celle qui vole.

– Je m'occupe de tout, dit Selena d'un air majestueux. Attention, Bianca.

Elle ouvrit le Coffret des Ombres et marmonna quelque chose. Un tourbillon froid et maléfique s'en échappa. Bianca leva la main.

– Voyons, Selena, elle n'est qu'une nullité; ceci est un maléfice puissant. Cette gamine est un parfait zéro. De toute façon vous ne pouvez pas faire une chose pareille. Vous ne connaissez même pas son nom.

– Je vais me concentrer sur son visage. Mon Ombre fera le reste.

Elle souleva le Coffret des Ombres à bout de bras. A l'intérieur, l'Omegahedron, brillant d'un éclat sombre, tournait comme une toupie, révélant en son centre une étrange masse terne. La lumière éclairait d'un éclat sans joie le visage de Selena; c'était le sombre rayonnement d'une nuit sans lune.

– Puissance des Ombres, prends forme... Tu es mon étoile morne... Retrouve cette créature, et mets fin à ses jours!

Une forme menaçante et tordue se dégagea du cœur de l'Omegahedron.

– C'est horrible! s'exclama Bianca, incapable de dire ce qui l'était le plus : la versification de Selena, l'ordre qu'elle avait donné ou ce petit nuage visqueux qu'elle avait libéré.

– Et allez vous faire voir, ajouta majestueusement Selena à l'intention de Bianca.

La forme, à peine plus qu'une traînée de fumée noire au début, se concentra en un nuage épais sous le plafond, s'étendit jusqu'aux coins de la pièce et s'enroula autour du miroir. Petit à petit, ce nuage enveloppa et submergea la chambre de sa Présence, informe, nauséabonde et invisible.

– Oh! Selena, pleurnicha Bianca tandis que Selena pâlissait, incertaine de ce qu'elle venait de libérer.

La pièce s'assombrit de plus en plus. L'ombre monstrueuse enveloppa tout. Elle se ramassa en une unique Forme menaçante, défonça le mur et se répandit à l'extérieur où elle se lança à la recherche de Linda Lee.

15

Que venait-il de se passer? songea Linda Lee en fuyant, toute confuse, devant Ethan. Il était absurde qu'une chose aussi triviale qu'un baiser (et de plus d'un total étranger) lui ait brouillé l'esprit. Après tout, *qu'était-ce* qu'un baiser? Juste deux paires de lèvres qui se touchaient. En quoi était-ce plus significatif que deux mains qui se serraient? Elle était consciente qu'il y avait une faille dans ce raisonnement mais elle n'arrivait pas à la trouver. Le baiser l'avait secouée.

Très bien, recommence à zéro, pensa-t-elle. Raisonne logiquement. Un – Supergirl avait secouru un être humain sans défense (là, pas de surprise). Deux – l'être humain sans défense s'était révélé un mâle splendide. (Wow!) Trois – l'être humain sans défense avait dit : *Je vous aime.* (A Linda Lee.) Quatre – puis il l'avait embrassée. Et c'est là que Linda Lee découvrait que la logique a ses limites. Il l'avait embrassée... Son esprit restait fixé sur ce point. Aucun numéro cinq n'apparaissait dans la suite des événements et elle était incapable de comprendre pourquoi un menait à deux, deux à trois et quatre... Mais s'en souciait-elle vraiment? Qu'importait si elle était confuse? Il valait mieux cela que d'être dédaignée.

Sur cette joyeuse pensée, elle arriva à Midvale School et signa le registre d'entrée. Seule une Linda Lee, dans un tel moment, alors qu'elle pensait encore à Ethan et, par surcroît, alors qu'elle se trouvait toute seule dans une école déserte, seule Linda Lee était capable d'un tel geste. Qui se souciait si elle signait le registre, en long, en large ou en travers? Certainement pas Mme M., terrée confortablement dans son petit antre avec sa télé et sa bière, dans son état d'ébriété habituel. Mais Linda Lee, solitaire sur cette planète étrangère, s'interrogeait toujours pour savoir comment agirait une adolescente normale, une des autres filles, digne de l'amitié de Lucy Lane. Il y avait règle et règle. Elle avait remarqué que Lucy en respectait certaines et ignorait les autres. Le truc était de savoir lesquelles.

Elle remonta le couloir; toutes les chambres étaient vides et elle avait vraiment conscience de sa solitude. L'écho de ses pas solitaires résonnait derrière elle et cela lui parut le bruit le plus sinistre qu'elle ait jamais entendu. Son humeur changea, le souvenir d'Ethan s'effaça. C'est à sa famille qu'elle pensait, à sa mère, Alura, avec ses yeux posés et sagaces; à son père, Zor-El, à l'aspect juvénile, tendre et chaleureux. Et à Zaltar, grand et élégant, Zaltar, son mentor, avec ses mains habiles et son cerveau fertile. Y avait-il quelqu'un de comparable sur la planète Terre?

Arrivée dans la chambre qu'elle partageait avec Lucy, elle se mit à regretter d'être rentrée au collège. Elle n'avait rien à faire, personne à qui parler et il lui était impossible d'échapper à ses pensées. Jamais auparavant elle n'avait ressenti une telle solitude. Lorsqu'elle avait grandi, privilégiée, à Argo, elle avait toujours été très entourée – par ses parents d'abord, puis par Zaltar et tous les amis de ses parents qu'elle avait connus depuis qu'elle était une toute petite fille. Tous s'étaient occupés d'elle; elle ne pouvait pas mettre le nez dehors à Argo sans rencontrer quelqu'un qui connaissait ses parents. Une terrible nostalgie de la merveilleuse cité s'empara d'elle. Existait-elle toujours? Qu'était-elle devenue avec une seule source d'énergie? Avaient-ils de l'eau, de la nourriture, de l'air? Souffraient-ils? Ces pensées la tourmentaient. Elle toucha le bracelet de Zaltar. Etait-il possible qu'elle ne trouve pas l'Omegahedron?... Ou si elle le trouvait, ne serait-ce pas trop tard pour Argo et ceux qu'elle aimait?

Dans sa chambre, Selena était à nouveau en extase devant son miroir, non pas en raison de sa beauté (sur laquelle elle n'avait aucun doute), mais parce qu'il lui renvoyait une nouvelle sorte d'image, un reflet de son génie créatif. Elle n'avait vraiment pris conscience de cet aspect de sa personnalité qu'en observant le monstre – la Forme, ainsi qu'elle l'appelait – se propulser à travers la campagne. A présent que le monstre les avait laissées, elle et Bianca, et en dépit de la façon grossière dont il était parti et du trou béant qu'il avait fait dans le mur, en dépit de tout cela, elle s'était mise à l'apprécier et, par conséquent, à s'admirer elle-même. Combien de monstres véritablement répugnants, effrayants et horribles traînaient ainsi dehors? Et qui d'autre qu'elle pouvait faire ce qu'elle avait accompli? Le monstre était sa création. Il était unique. Rien qui lui fût semblable n'avait jamais auparavant marché, rampé ou dévalé sur terre. Et c'était elle, elle seule qui lui avait donné vie. Elle l'avait fait surgir du fond de l'inconnu, l'avait animé et envoyé remplir sa mission destructrice. C'était un acte de création véritable et par conséquent une parcelle de génie.

Selena se caressa amoureusement le visage. Géniale. Il était déjà acquis qu'elle était belle, maligne et diabolique, mais il était certes fort satisfaisant d'ajouter le génie à ses autres qualités. Et cela la fortifiait non seulement dans son désir de gouverner le monde mais aussi dans la légitimité de ce désir. Elle ne songerait pas, pensa-t-elle vertueusement, à gouverner le monde si elle n'en avait pas la capacité.

Spectatrice unique (oh, bon! elles étaient deux en comptant Bianca), elle regardait intensément la chose monstrueuse qu'elle seule avait conçue et produite. Selena, se dit-elle, Nous (autant s'habituer à la locution royale) nous sommes extraordinaire.

Une tempête se levait. Des éclairs roses, verts, blancs zébraient le ciel. Le tonnerre grondait et un vent violent hurlait à travers le faîte des arbres.

La Forme, avec la puissance d'une tornade, déracina négligemment un chêne... une clôture en fil d'acier s'effondra devant elle comme si elle était en vulgaire ficelle... la Forme poursuivait son chemin vers sa destination, indifférente, laissant dans son sillage une traînée de voitures aplaties, de terrains de jeux détruits, d'arbres fendus comme des cure-dents. Invisible à l'œil humain, son poids inconcevable imprimait dans le sol des traces de la surface d'une salle. (Lorsqu'elles seraient découvertes quelques années plus tard, un docte savant expliquerait que ces curieux vestiges, ne ressemblant à aucune trouvaille précédente, étaient des sites funéraires préhistoriques abandonnés.) La terre tremblait sous son poids, faisant vibrer et vaciller les immeubles à des lieues à la ronde. Les radios lancèrent des avis de séisme; la moitié de la population de Midvale se réfugia dans les caves pendant que l'autre, pré-voyant une fin proche, décida de profiter de ses derniers moments. Ce fut donc une nuit joyeuse pour beaucoup d'habitants de Midvale.

Debout devant sa fenêtre, tout en regardant l'orage approcher, Linda Lee décida qu'elle s'était assez apitoyée sur elle-même et sa solitude. Elle ne pouvait rien faire pour que ses parents et Zaltar ne lui manquent plus, à part les rejoindre le plus tôt possible – ce qui signifiait qu'il fallait retrouver l'Omegahedron. Elle regarda de nouveau le bracelet de Zaltar et se souvint de la façon dont il avait repris vie ce matin dans la classe de Nigel.

Le tonnerre gronda une fois encore... mais était-ce bien le tonnerre? A ce moment, Linda Lee vit quelque chose d'innommable, de vil et d'inquiétant s'avancer dans l'obscurité. Ni humain ni visible, c'était vaste, informe et sombre... comme si l'obscu-rité elle-même s'était concentrée en une masse monstrueuse, immonde et perverse, qui se dirigeait droit vers elle.

Elle avait rarement connu la peur. La douleur, la solitude, l'anxiété, oui... mais pas la terreur, pas jusqu'à cet instant. Plus seule que jamais, elle recula avec un cri étouffé. Et la Forme, le sol cédant sur son passage, se glissa dans sa direction.

Dans son gentil petit nid, arrangé à son goût, volets fermés et rideaux tirés, avec une bonne provision de bière et la télé à tue-tête, installée avec son coussin favori calé dans le dos et, pour couronner le tout, en l'absence de ces petites pestes avec leurs tours pendables, Mme M. ne ressentait pas malgré tout la douce et agréable sensation qui s'emparait d'elle lorsqu'elle levait sa bouteille de bière et saluait le speaker Dan Rather. (Dis-le-leur, Dan, mon garçon.) Et il le leur disait, à tous, tous les soirs, avec ce mignon petit visage sérieux, à quel point la planète allait à la catastrophe. Plongeait dans le gouffre la tête la première, comme disait autrefois la mère de Mme M. Où d'autre pouvait-elle aller, cette planète, et qui était mieux qualifié pour le dire que le bon vieux Dan? Elle l'aimait et détestait que quelque chose vienne contrarier ses plaisirs. Une bouteille de bière et Dan Rather. Sans aucune de ces princesses à face de rat dans les parages. Toutes les conditions étaient réunies pour son plaisir et maintenant elle n'arrivait même pas à entendre Dan à cause du chambard dehors. Jamais entendu autant de fichus coups de tonnerre. Maudits météorologues et leurs orages qui venaient empoisonner les braves gens devant leur télé alors qu'ils s'efforçaient de relever leur niveau de culture. Elle augmenta encore le son.

Selena était d'excellente humeur en voyant son monstre ravager la contrée.

– Va, monstre adoré, va!

Il se dirigeait comme une flèche vers le collège de Midvale. Bon travail. Elle aimait un monstre capable de se concentrer. La pelle mécanique s'était montrée minable mais celui-ci n'était rien moins que magnifique. Parfait, parfait. Bientôt il y aurait au monde une élève de Midvale de moins et le monde ne s'en porterait que mieux. Un tout petit problème inquiétait Selena – que ferait-elle du cher monstre lorsqu'il aurait avalé cette vilaine petite portion de Midvale? Elle n'avait pas vraiment envie de voir d'autres trous dans le décor du Train Fantôme.

– Vous voyez ce que je vois? dit Bianca en se penchant par-dessus l'épaule de Selena.

Selena la rembarra.

– Evidemment. Je vois parfaitement bien.

Elle était très pointilleuse au sujet de ses yeux. C'était sa seule imperfection et Selena en éprouvait du ressentiment car elle trouvait que leur défaut était de mauvais goût. Elle était myope d'un œil, presbyte de l'autre. C'était comme si elle avait eu six doigts ou douze orteils. Cela faisait rire et Selena n'aimait pas cela.

– Regardez, regardez, s'écria Bianca en s'appuyant encore sur l'épaule de Selena. C'est encore cette fille volante, celle avec la cape.

La bonne humeur de Selena s'effondra d'un seul coup. D'où diable sortait-elle? Comment avait-elle fait pour apparaître soudain, venant de nulle part, sous le nez de Selena? L'instant d'avant, celle-ci prenait plaisir à regarder son monstre lâché dans la nature et soudain cette... *intruse*... tombait du ciel. Et maintenant, campée fermement sur ses deux jambes en face du monstre, les mains sur les hanches, elle paraissait prête à livrer combat. Seule consolation pour Selena, le monstre ne serait pas un adversaire aussi facile que la pelle mécanique.

Pendant une fraction de seconde, une idée traversa l'esprit de Selena – quelque chose concernant la grande sauterelle et la fille volante qui se trouvaient aux mêmes endroits – mais elle ne parvint pas à la saisir et l'idée disparut aussi vite qu'elle était venue.

– Vient-elle de dire quelque chose? demanda Bianca. Qu'a-t-elle dit? J'aimerais bien que cet écran soit sonore.

Devant le collège de Midvale, Supergirl affronta le monstre. Il exhalait un souffle putride qui la balaya comme un ouragan, la faisant vaciller sur ses jambes. Elle essaya de lever un poing mais le souffle du monstre repoussa son bras, la rendant inoffensive.

– Qui es-tu, fils des ténèbres? (Elle s'efforçait de parler d'une voix ferme.) Quitte ces lieux sans faire de mal.

Presque avant qu'elle ait fini de parler, elle fut projetée contre le mur du bâtiment de l'école. Un éclair vert illumina la scène tandis qu'un distributeur automatique de boissons non alcoolisées s'effondrait sous le poids de Supergirl. Elle bondit et donna un coup de pied dans les bouteilles de limonade qui jonchaient le sol.

– Aidez-moi, Zaltar! Les forces du mal sont puissantes! Zaltar...

Avait-il répondu? Elle sentit sa présence et reprit courage. Elle vaincrait, comme tant de fois auparavant. Elle s'envola droit dans les airs puis se jeta sur la *Chose*... (percute-la comme une pierre brise un carreau...) Mais, alors qu'elle avait perforé de part en part un réservoir d'eau en acier, elle rebondit sur le cuir du monstre comme un grain de sable.

Son ennemi était invisible et puissant. Elle avait besoin de savoir ce qu'elle affrontait. Elle concentra toute l'énergie de son corps dans son regard. Ses yeux brillèrent comme un laser et, durant une fraction de seconde, elle *Le* vit – un cauchemar, vaste, informe et maléfique... elle le vit s'élancer vers elle pour la saisir.

Elle fut broyée entre d'énormes pattes puis projetée au loin comme un chaton importun. Elle s'écrasa contre un réverbère. Un éclair zébra le ciel et le rire du monstre fit écho au tonnerre.

Etourdie par le choc, Supergirl se remit debout. Ô, toi l'invisible, crois-tu pouvoir me vaincre aussi facilement?... Elle arracha le réverbère à la base puis s'élança tout droit au cœur de l'orage en le tenant comme une torche. A coups répétés, la foudre frappa le réverbère. Chaque fois, le visage de Supergirl se crispait, son corps se contorsionnait tandis qu'elle accumulait les décharges électriques. Puis, comme une déesse de feu, elle plongea vers le sol... se déplaçant droit comme une flèche incandescente au cœur du mal invisible. L'impact illumina le ciel à 300 kilomètres à la ronde et, durant un millième de seconde, le monstre devint visible. Durant cette infime fraction de temps, cette confrontation élémentaire de la lumière et des ténèbres, Supergirl vit la gloire maléfique s'effondrer... se tasser... se ratatiner... et s'évanouir dans un torrent spectral de sombre anti-énergie.

Le monstre était anéanti. Il ne restait rien.

Rien.

Elle était seule, tremblante, épuisée, victorieuse.

Et Selena? Elle se dressait à côté de Bianca, tremblante, vaincue, furieuse. Elle donna des coups de pied dans les meubles, les vêtements, les murs.

Elle aurait frappé Bianca si celle-ci n'avait pas eu le bon sens de s'enfuir.

– Chaque fois! Envoyez un monstre faire le travail d'une femmelette et voilà ce que vous obtenez. *Qui est-elle?*

Ni Bianca, ni le Coffret des Ombres, ni les sombres régions infernales ne lui répondirent.

16

Epuisée par sa lutte contre le mal, Supergirl relâcha son attention pendant quelques instants et retourna dans le bâtiment où se trouvait sa chambre – sous son aspect réel.

– Qui va là? cria Mme M. en entendant le bruit de ses pas dans le couloir.

Supergirl hésita – avait-elle le temps de se transformer en Linda Lee? Son hésitation fut fatale. Mme M. sortit de sa tanière. Un sourire satisfait éclaira son visage. Elle n'avait pas oublié ce maudit chambard qui avait gâché sa communion avec ce bon vieux Dan. A présent, elle se rendait compte qu'elle avait eu l'occasion de faire du chambard elle aussi. Lorsqu'elle était plus jeune, pensa-t-elle avec une pointe de nostalgie, elle avait fait la noce. Mais ce temps-là... Enfin, c'était presque aussi amusant de faire du grabuge.

– Où avez-vous été? demanda-t-elle d'un air menaçant.

– Dehors, Madame M., répondit humblement Linda Lee. Je suis rentrée maintenant, ajouta-t-elle.

– Qui vous a donné la permission de sortir? Je suis responsable de vous. (Mme M., nez à nez avec Supergirl, fut distraite par sa cape rouge et sa jupe.) Je rêve! Je n'en crois pas mes yeux. Vous croyez que c'est carnaval? Ah, les jeunes d'aujourd'hui! (D'un geste méprisant, elle jeta sa canette de bière vide dans un coin.) Vous n'avez aucune morale, aucun vernis, aucune *tenue*.

– Oui, madame.

– C'est une tenue indécente.

– Oui, madame.

– Mettez votre uniforme et jetez cette horrible jupe à la poubelle. Ah! si votre mère vous voyait! Vous devriez avoir honte! Et n'oubliez pas de cacher vos jambes, ajouta-t-elle tout en pensant qu'il était injuste que quelqu'un puisse avoir d'aussi belles jambes alors que d'autres ne pouvaient même pas regarder le bon vieux Dan en paix. Ttt, ttt, ttt, lança-t-elle enfin péremptoirement avant de regagner sa chambre.

Chaque fois que Selena se plongeait dans ses méditations, Bianca devenait un peu nerveuse. Selena n'avait rien dit depuis longtemps, au moins cinq minutes. Que concoctait-elle à présent? A priori, Bianca admirait sa capacité à combiner une machination en deux coups de cuillère à pot, mais parfois, elle s'égarait. Comme lorsqu'elle s'était débarrassée de ce pauvre vieux Nigel. Cela ne tracassait pas particulièrement Bianca... Mais pourquoi tant de rigueur? Nigel avait son utilité.

– La guerre est déclarée, dit Selena en rompant son silence. C'est mon pouvoir contre les siens. (Elle tapota ses lèvres rouges avec un ongle rouge.) Elle vole. Elle a d'autres pouvoirs. Je ne puis le tolérer.

C'est exclu. (Ses bracelets tintèrent. Ses yeux étincelèrent. Elle posa le Coffret des Ombres au milieu de la pièce et se mit à tourner lentement autour.) Il grandit... indubitablement... (Elle claqua des doigts d'un air péremptoire et, voyant que Bianca ne réagissait pas, s'impatienta.) Que se passe-t-il? Je veux la toise!

Bianca poussa un soupir. Savait-elle lire dans les pensées? Au bon vieux temps, c'était le domaine de Selena. Elle était alors plus facile à contenter – il lui suffisait de tirer un peu les cartes, de caresser un peu une boule de cristal... *Je vois un grand brun... l'avenir vous apporte de l'argent... deux voyages...* En ce temps-là, Selena et elle organisaient un bal ou deux ou trois. La vie était belle. A présent, Selena perdait la tête avec ses idées de pouvoir; elle devenait – oserait-elle le dire? – barbante! Le nez toujours plongé dans quelque vieux recueil de magie ou bien délirant au sujet de cette gamine qui agitait les bras et faisait semblant de voler, elle radotait sur le pouvoir, le pouvoir, le pouvoir. Bar-bante.

Que fabriquait-elle à présent? Elle avait ouvert le Coffret des Ombres (non sans peine) et mesurait le trucmachinchose. Pourquoi se donner ce mal? Il grandissait un peu. Et alors? C'était peut-être naturel. Bianca grandissait aussi un peu. Dernièrement, elle avait remarqué que sa robe noire brodée de fils d'argent devenait un peu juste. Bianca tira une bouffée de sa cigarette. Fumer plus, manger moins. Bonne idée... Si bonne qu'elle faillit ne pas entendre ce que Selena marmonnait.

– Plus de pitié, Selena. A partir de maintenant, les choses deviennent sérieuses.

Le bracelet de Zaltar rayonnait. Linda Lee ne voulait pas y croire. Elle mit sa main derrière son dos de façon à cacher le bracelet. Lis un livre, pensa-t-elle. Etudie. Lave tes chaussettes. Tu t'imagines des choses. Tu es en train de te leurrer et tu sais très bien pourquoi! Ce n'est pas parce que tu désires quelque chose que tu dois l'inventer.

Elle ramena de nouveau son bras devant elle, mais sans le regarder. Si la baie sur le bracelet scintillait encore, cela signifierait que l'Omegahedron se trouvait non loin de là. Sinon... Elle ne voulait pas être déçue. Avec précaution, elle tourna la tête et regarda du coin de l'œil. Les battements de son cœur s'accélérèrent. La baie du bracelet était brillante, battait comme un cœur minuscule, lui rappelant que c'était une véritable parcelle vivante d'Argo.

Sa fatigue tomba immédiatement. Où? Dis-moi où aller? Elle tendit le poignet vers le mur, le plafond, la fenêtre, dans toutes les directions. Les pulsations du bracelet augmentèrent; par ici, semblait-il lui dire. Elle suivit le couloir, guidée par son rayonnement, passa devant la chambre de Mme M. qui ronflait dans son fauteuil et sortit par la porte. Elle suivit l'allée... passa devant l'endroit où elle s'était battue avec le monstre. Le bracelet l'entraînait toujours, semblait lui dire : « Hâte-toi! Par ici! » Elle franchit la grille d'entrée qui donnait sur la rue... Mais là, elle ne sut plus où aller. Quelle que fût la direction dans laquelle elle se tournait, le bracelet brillait du même éclat.

– Zaltar... aidez-moi, murmura-t-elle.

Et, lorsqu'elle se tourna vers le nord, les pulsations de la baie augmentèrent.

Caché derrière un buisson, Ethan vit son seul et unique amour hésiter devant les grilles du collège puis s'engager dans la rue. Il l'avait attendue, caché ainsi, pendant ce qui lui paraissait une éternité... Pourtant, ce n'était rien pour un homme tel que lui que de l'attendre pour l'éternité, pensa-t-il en croquant un des chocolats de la boîte qu'il lui avait apportée, dans laquelle se trouvaient également des poèmes d'amour. Pour lui, les amoureux étaient les fous, non pas des rois mais de Dieu. Il attendrait volontiers son amour adoré pendant une éternité. Il plongea le nez dans le bouquet de roses qu'il avait acheté pour elle et éternua. (Il était sujet aux allergies.) Des chocolats et des roses... comme cela s'accordait bien avec elle : son teint était de rose, ses yeux chocolat – ou bien, minute! Etaient-ils bleus? Il faudrait vérifier. Il la suivit dans la rue.

A l'intérieur du Train Fantôme, Selena souleva l'Omegahedron tourbillonnant qui lui projetait des éclats de lumière bleue sur le visage.

– Maintenant... maintenant..., se mit-elle à psalmodier.

Mais Bianca, cette oie, gâcha tout en se mettant à crier comme un goret qu'on étrille.

– Doucement, Selena. Ho là!

Se concentrant sur l'énergie qu'elle tenait entre ses mains, Selena refusa de la regarder. Elle s'apprêtait à faire un de ses petits tours, sautait sur le plancher et ébranlait toute la pièce. Si Bianca n'avait pas été sa plus vieille amie et si elle, Selena, n'avait pas eu d'autres choses, plus importantes, en tête, elle aurait peut-être été contrainte de la prendre en main.

– Que faites-vous, Selena?

Bianca ne cédait pas et, lorsque Selena tourna finalement la tête, elle s'aperçut que ce n'était pas seulement le sol qui tremblait, mais toute la pièce, comme un wagon. Le lit bondissait, les étagères oscillaient, le miroir, avec son cadre de nacre, cliquetait comme une boîte de conserve.

– C'est ce – ce trucmachinchose, dit Bianca en le montrant du doigt. Remettez-le à sa place!

Et en effet, dès que Selena l'eut remis dans le Coffret des Ombres, le calme revint. Selena fronça les sourcils. Quelque chose troublait le trucmachinchose. Elle ouvrit le couvercle du coffret. Des coussins volèrent à travers la pièce et le baldaquin zébré au-dessus de son lit se mit à claquer comme sous l'effet d'un vent violent. Elle referma le Coffret des Ombres. Le tohu-bohu se calma.

Que se passait-il? Qui donc venait interférer avec son pouvoir? Elle posa le Coffret des Ombres près du miroir et une image brouillée apparut. Selena ferma son œil presbyte et essaya de distinguer l'image plus nettement. Bianca lui donna un coup de coude.

– C'est encore elle. Vous savez, celle que le merveilleux jardinier a, comme qui dirait, embrassée.

Selena serra les lèvres à ce rappel d'un événement déplaisant. Elle se pencha plus près de l'écran, plus près encore, à peine capable de croire les bonnes nouvelles que son œil myope lui apportait.

– Bianca, vous voyez ce que je vois?

– Je vois la grande sauterelle.

– Non, non. Autre chose, ma chère Bianca. (Selena contenait sa joie à grand-peine.) Où *est* la sauterelle? (Sans attendre de réponse, elle poursuivit :) Bianca, ma chérie, le beau géant vert du collège de Midvale est *ici*, sur le terrain de la fête foraine. (Elle ronronna.) Juste sous notre nez.

Curieux, pensa Linda Lee. Le bracelet de Zaltar l'avait conduite sur ce terrain de fête foraine abandonné. Pourquoi ici? Et pourquoi le bracelet avait-il brillé avec tant d'éclat pendant si longtemps... et se ternissait-il à présent? Elle le frotta contre sa blouse comme si elle pouvait lui redonner de l'éclat. Il brilla un court moment puis se ternit; il ne subsistait plus à présent qu'un faible rayonnement pour lui rappeler sa mission. Que faire maintenant? De quel côté se tourner? Où entrer?

– Calmez-vous, ô mon cœur en déroute, lui dit quelqu'un à l'oreille.

Linda Lee se retourna. Oh non! Elle n'était pas prête pour ceci – pas en ce moment.

– Ne craignez rien, ma douce colombe. Ce n'est que moi, ô mon unique amour. (Il lui tendit la boîte de chocolats et le bouquet de fleurs.) Des douceurs pour la douce, des roses pour la rose – un instant! Dites-moi votre nom. Serait-ce par hasard... Rose?

Linda Lee secoua la tête. Un fou, de toute évidence. Complètement cinglé.

– S'il vous plaît, dit-elle pour ne pas l'exciter, ce n'est vraiment pas le moment de...

– ... de faire savoir à tout le monde que je vous aime et que je vous adore? enchaîna-t-il. Mon ange! Comme vous êtes modeste, vous, parée de toutes les vertus! Laissez-moi le crier sur tous les toits, le chanter du sommet des plus hautes collines, laissez-moi...

Il parut se trouver à court de mots pour l'instant mais pas à court de gestes. Il saisit Linda Lee par la taille, la souleva et la déposa sur le siège d'un des manèges et bondit sur le siège voisin.

Grrr. Linda Lee se mit à grogner autant que Linda Lee pouvait le faire.

– Ecoutez, j'ai une tâche importante à accomplir et vous – comment dire? – ne me facilitez pas les choses.

– Je vous dérange? s'écria-t-il d'un air navré. Oh, non! (Il posa sa main sur son cœur.) Je vous laisserai en paix, mon adorable rayon de soleil. Dites-moi seulement votre nom, que je puisse le murmurer durant cette nuit solitaire afin de me réconforter.

Linda poussa un soupir. Il était, de toute évidence, fou à lier.

– Linda Lee, dit-elle.

– Linda Lee, Linda Lee, Linda Lee. Oh, laissez-moi répéter votre nom dans toute sa splendeur enchanteresse.

– Je vous en prie.

– Et le mien... ne voulez-vous pas le prononcer? Ethan. Prononcez-le, afin que je meure heureux.

– Ethan, c'est bien cela? Alors Ethan, à présent que...

– Elle l'a dit!

Il s'affala sur la barre d'appui du wagonnet.

Mort? Simplement parce qu'elle avait prononcé son nom? Effrayante responsabilité que d'avoir quelqu'un amoureux de vous. Devrait-elle lui faire du bouche-à-bouche pour le réanimer?

– Ethan, dit-elle anxieusement en lui touchant l'épaule.

Il ouvrit les yeux.

– Je ne vous laisserai pas toute seule sur cette terre cruelle, dit-il. Votre douce caresse a renouvelé les pulsations de mon pauvre cœur meurtri.

Oh, la, la!

– Ethan, j'ai quelque chose à vous demander.

– Tout ce que vous voudrez. Tout!

– Avez-vous déjà été... hmm... hospitalisé?

– Vous voulez dire, suis-je fou? Seulement de vous, Linda Lee.

Il paraissait soudain un brin plus sain d'esprit que cinq minutes auparavant. Peut-être pourrait-elle le raisonner malgré tout.

– Vous savez que vous m'avez suivie et ce n'est pas très bien.

– Je vous suivrais au sommet des montagnes, au fin fond des vallées, sur les sept océans et les trois continents... Linda Lee, je vous aime.

Elle ne put s'empêcher de sourire. Il était, sans aucun doute, un peu perturbé, mais mignon. Et plus beau que jamais. Et autre chose aussi, elle ne savait trop quoi – mais tout fou qu'il était, il y avait, dans sa façon de la regarder, quelque chose qui la troublait à nouveau... sans la déranger le moins du monde.

– Ethan... dît-elle d'une voix faible en se penchant vers lui.

– Linda Lee, dit-il d'une voix tout aussi faible en se penchant vers elle.

17

Nous avons laissé Linda Lee et Ethan, assis sur le manège du terrain forain, se contemplant les yeux dans les yeux. Vient à présent un aveu difficile, un moment de vérité. Sous le charme d'Ethan, Linda Lee était retombée dans cet état de confusion délicieux durant lequel elle oubliait rien moins que... tout. Qui elle était, pourquoi elle était venue là et ce qu'elle cherchait. C'était plus qu'une faiblesse passagère. Le temps s'écoulait. Une minute? Deux minutes? Dix? Personne n'était là avec un chronomètre mais les minutes passaient... Le temps ne signifiait rien pour Ethan mais tout pour Linda Lee. Comment pouvait-elle oublier, ne serait-ce qu'une seconde, sa mission sur la planète Terre? Pourtant, elle oublia et le temps s'écoula...

Ne blâmons pas trop Linda Lee. Des cœurs plus âgés et plus avertis se sont rendus à moins de raisons... si l'on peut qualifier de raisons des déclarations passionnées d'amour éternel au clair de lune sur un manège forain désert. Enfin, de toute évidence, Ethan et Linda Lee étaient absorbés l'un par l'autre et, dans leur naïveté, pensaient être parfaitement seuls.

Faux. Parfaitement faux.

Erreur. Grossière erreur.

Il faut avouer que leurs moments les plus tendres, les plus intimes, avaient été observés et commentés par Selena et Bianca, le couple occulte et bizarre. Auditoire choisi, mais sans indulgence. Selena écumait; Bianca, quoique plus philosophe, n'appréciait pas de voir sa meilleure amie bafouée.

– Ce n'est qu'un couple d'amoureux transis, mais ridicules, dit-elle pour consoler Selena.

Avec Bianca dans son sillage, Selena sortit en trombe du Train Fantôme. Sans plan d'action : l'improvisation était son point fort. Elle en avait assez de voir son génie créateur bafoué de toutes parts. D'une façon ou d'une autre, elle se vengerait. Elle en avait par-dessus la tête de voir ses complots et ses plans aller à vau-l'eau. Chaque fois qu'elle pensait à cette grande sauterelle de Midvale, elle devenait enragée. Ethan, après tout, n'était qu'un homme; on ne pouvait pas trop lui en demander... de toute façon, elle le remettrait bientôt dans le droit chemin. En avant, direction le manège! Elle mettrait bien vite ce joli cœur de jardinier jardinant au diapason.

Selena arriva au manège à sa façon habituelle qui était, sans vouloir être trop pointilleux, plutôt grandiose. En fait, Selena n'arrivait jamais quelque part. Elle apparaissait. Elle faisait irruption sur la scène, la tête haute, le regard froid, consciente que sa présence était un événement, un coup de théâtre, un *happening*.

Ethan et Linda Lee, absorbés l'un par l'autre, ne la remarquèrent pas. Ceci ne fit rien pour adoucir son humeur.

– Quelle scène *touchante*! hurla-t-elle, ce qui attira leur attention.

Ils se retournèrent d'un seul bloc. Leurs yeux s'agrandirent. Ils restèrent bouche bée. Ils pâlirent. Selena rejeta la tête en arrière et rit.

– Ah! les... les...

Elle ne trouva rien d'assez venimeux à dire. Mais le temps n'était plus aux paroles. Elle tendit un long doigt à l'ongle laqué de rouge, et les événements se mirent en marche. Pour commencer, le manège se mit en mouvement. Il serait inexact de dire qu'il se mit à tourner. Il passa plutôt de l'immobilité à la rotation, si rapidement, si complètement, que l'œil ne distinguait plus le mouvement, n'apercevait plus qu'une tache de couleur pâle.

– Vous voulez donc les tuer tous les deux, hein? dit Bianca en mâchant son chewing-gum et en tapotant son fume-cigarette pour faire tomber la cendre.

– Ils tournent et tournent... et tournent en rond... seule je sais où... ils s'arrêteront.

Selena tendit encore le doigt et le manège s'arrêta en grinçant. Ethan était assis tout seul, les yeux hagards. Linda Lee avait disparu.

– La fille n'est plus là, remarqua Bianca.

Selena en fut quelque peu ébranlée mais se reprit vite.

– Bien sûr. Je m'en suis débarrassée, et maintenant...

– Et maintenant, l'interrompit Bianca en apercevant une silhouette filant droit sur elles dans le ciel, j'ai comme l'impression que nous allons avoir une très, très grande surprise.

Elle fit un bond en arrière tandis que Supergirl se posait pile entre elle et Selena.

Supergirl et Selena se dévisagèrent et Selena se redressa de toute sa taille.

– Qui êtes-vous? demanda-t-elle.

– Je suis Kara, de la planète Argo, fille d'Alura et de Zor-El, répondit Supergirl avec simplicité. Et vous?

– Je... suis... Selena. Et si vous ne me connaissiez pas jusqu'ici, vous apprendrez à me connaître. Bientôt. Très bientôt. Le monde entier connaîtra mon nom... et tremblera en l'entendant. J'ai des pouvoirs. Des pouvoirs sublimes. Je vous préviens – ne vous mettez pas en travers du chemin de Selena.

– Je ne m'incline que devant la Vérité et la Justice.

Selena regarda en direction d'Ethan et – avant même qu'il puisse dire « oh non, pas ce doigt encore » – il fut transporté du manège sur la piste des autos tamponneuses.

Et là, sa deuxième épreuve commença. Les autos tamponneuses se mirent en marche et se jetèrent sur Ethan.

Pow... piff... bang... smash... C'était la guerre à nouveau, les cow-boys qui attaquaient les Indiens. Seulement, cette fois, il n'y avait qu'un Peau-Rouge. Ethan fit un bond pour éviter une voiture... Une autre l'attaqua de côté et il fit une roulade. Il était encore en vie, mais pour combien de temps? Les voitures l'encerclèrent, s'agglomérèrent comme une troupe de lions qui se referme sur sa proie.

Ethan repensa en un éclair à son enfance, lorsque son père lui lisait des contes de fées. Pour mériter la belle princesse, le prince ne devait-il pas toujours accomplir trois exploits réellement difficiles et périlleux, comme escalader une montagne de verre ou se sortir des sables mouvants? Puisque Ethan s'était toujours secrètement pris pour un prince déguisé, il n'y avait qu'un minuscule pas à franchir pour croire que toutes ces choses démentes qui lui arrivaient étaient, en quelque sorte, une manière d'obtenir la main de la belle Linda Lee. Ne lui avait-il pas dit (avec sans doute un peu trop de précipitation) qu'il ferait *n'importe quoi* pour elle? Il espérait vraiment qu'elle choisirait quelque chose de simple pour sa dernière épreuve, comme de sauter du sommet d'un gratte-ciel.

Supergirl était furieuse contre elle-même. Elle avait sous-estimé Selena et maintenant Ethan était vraiment en danger. C'était sa faute! Mais que devrait-elle faire en premier? Sauver Ethan ou s'occuper de Selena? Son esprit travaillait à super vitesse – mais pas assez vite. Au moment où elle décidait que le sauvetage d'Ethan était prioritaire, Selena entra en action.

– Gada, guidi, gada! s'écria-t-elle et Supergirl se retrouva entourée d'un mur de Selena, bouche vermeille et triomphante. Quelle que fût la direction dans laquelle elle se tournait, le mur tournait avec elle. *Piégée... piégée... piégée...* psalmodiaient-elles, ou était-ce la voix de son propre désespoir qu'elle entendait? Les images ricanantes des sorcières se pressaient contre elle. Impuissante. Supergirl était impuissante. Tout ce qu'elle pouvait faire, c'était regarder l'agonie d'Ethan.

Luttant pour sa vie, Ethan bondit dans une des voitures. Au moins ne serait-il pas une proie facile pour les autres. Il se saisit de la barre. De toutes parts, les voitures se tamponnaient furieusement. La sienne se cabrait et plongeait pour essayer de le désarçonner. Ethan se cramponnait à la barre mais sa poigne faiblissait.

Selena se tourna vers Bianca d'un air triomphant.

– Madame, dit Bianca, vous vous améliorez tous les jours sur tous les plans.

– Je sais, je sais.

Selena sourit. Elle jubilait. D'abord Ethan, ensuite Kara. Comprenaient-ils à présent contre qui ils se mesuraient? Etaient-ils prêts à présent à s'incliner devant son pouvoir et à se soumettre? Ou bien fallait-il qu'elle leur fasse encore une petite démonstration? Elle la ferait avec joie!

– Selena! hurla Bianca. Selena! Regardez!

Selena regarda mais aurait souhaité ne rien voir.

Rassemblant toutes ses super-forces, d'un seul bond fantastique, Supergirl avait franchi le mur de sorcières. Libérée, elle s'envola tout droit dans les airs, comme grisée par sa liberté. Toujours plus haut, dans le ciel... Avait-elle oublié Ethan?

Pendant un instant, c'est ce que crut Selena; que Supergirl fuyait pour sauver sa vie.

Durant cet instant, Supergirl agit. D'un seul élan, invisible à l'œil tant il était rapide, elle piqua vers le sol, saisit au passage une pile de pieux pointus et les jeta en direction de Selena. Les pieux se fichèrent dans le sol, formant une palissade parfaite de trois mètres de haut autour de Selena.

– Biii-aaan-caaa! hurla Selena.

Avant même que ne s'éteignît le son de sa voix, pour la deuxième fois en moins de vingt-quatre heures, Supergirl sauva Ethan. Se déplaçant à super-vitesse, elle passa au milieu de la mêlée d'autos tamponneuses, les balayant de son chemin au passage. Elle saisit celle dans laquelle Ethan était piégé. Après la pelle mécanique, c'était du gâteau. Elle s'envola avec l'auto tamponneuse et Ethan dans ses bras. Une réédition de la scène antérieure à une seule différence près. Cette fois, l'acteur principal masculin était conscient.

Conscient mais pas enthousiaste devant la tournure que prenaient les événements. C'est vrai, il ne craignait pas les hauteurs, pas vraiment, mais cela était ridicule. Voler dans les airs dans une petite voiture de foire, avec rien entre le sol (qui se trouvait tout là-bas, très loin, comme il put le constater en jetant un coup d'œil par-dessus bord) et lui que les bras d'une adolescente n'avait rien de particulièrement rassurant. Il aurait presque souhaité se retrouver sur la piste des autos tamponneuses.

A peine Selena eut-elle appelé Bianca à son aide, qu'elle essaya une demi-douzaine d'exorcismes différents. Le septième eut de l'effet.

– Wil til twilit twilti ta tonce!

Ce qu'elle demandait s'accomplit. La palissade de pieux se flétrit comme des fleurs gelées et s'effondra. Avant que Bianca ait eu le temps d'intervenir, elle n'était déjà plus d'aucun secours. Elle cracha son chewing-gum. C'était bien du style de Selena. Pousser un hurlement à vous donner une crise cardiaque et ne plus avoir besoin de vous lorsqu'on accourait.

– Je suis venue aussi vite que j'ai pu, dit Bianca en haletant.

Elle rejeta une mèche de cheveux qui lui pendait devant les yeux. Avait-elle vu un cheveu gris? Encore quelques hurlements de Selena du même genre et ce serait adieu, les belles tresses noires.

– Il faut courir plus vite si vous voulez rester près de moi.

– Alors, tout va bien?

– Bien! *Moi*, bien? Parfaitement! Je suis parfaitement furieuse!

– Après moi? (Bianca la rattrapa.) Je vous ai dit...

– Non, pas vous! (Selena donna un coup de pied dans un piquet de tente.) Après elle. La fille en costume bleu. Il faut qu'elle s'en *aille*, Bianca. Pffft! Je veux qu'elle disparaisse de mon univers.

Le jour se levait lorsque Supergirl, tenant l'auto tamponneuse dans laquelle Ethan s'était endormi, décrivit un cercle au-dessus de l'eau. Quelle ironie, ou simplement, quelle coïncidence, qu'elle soit revenue presque instinctivement à cet endroit! C'est ici, sur cette plage, qu'elle avait, pour la première fois, posé le pied sur la planète Terre. Elle atterrit doucement et posa l'auto tamponneuse avec tant de précautions qu'Ethan ne bougea pas. Supergirl regarda tendrement son bien-aimé. Elle remarqua (avec autant d'émerveillement que si elle était la première à qui cela arrivait) à quel point il était beau et paraissait vulnérable en dormant.

Elle le souleva et il ouvrit les yeux.

– Où suis-je? s'écria-t-il en se débattant. Que se passe-t-il? Lâchez-moi. Où est la montagne en verre?

Pauvre chéri. Avait-il de la fièvre?

– Tout va bien maintenant, dit Supergirl sur un ton apaisant.

Ethan n'était pas d'accord. Il n'avait pas été porté dans les bras d'une femme depuis approximativement l'âge de huit mois. Un jour, titubant d'un siège gigantesque à l'autre dans le salon de sa mère, il avait décidé que c'était amusant de marcher et qu'il allait le faire tout le temps. Après cela, chaque fois que quelqu'un le prenait dans ses bras, il se mettait à hurler comme un écorché vif et il apprit, avec le temps, à crier « moi par terre » avec tant d'insistance qu'il obtenait toujours gain de cause.

Depuis, il avait porté plusieurs femmes dans ses bras avec beaucoup de plaisir. Lorsqu'elles se débattaient et criaient « Lâchez-moi, lâchez-moi, Ethan! » il savait qu'elles ne le pensaient pas vraiment, qu'en fait elles adoraient être dominées. Etant donné qu'il était un brave garçon et voulait rendre les femmes qu'il aimait heureuses, il resserrait alors son étreinte et leur faisait une de ses œillades de don Juan. Cela marchait toujours. Après quelques instants, elles renonçaient à se débattre, mettaient leurs bras autour de son cou et se blottissaient contre lui. Un jour (il s'en souvenait maintenant dans les bras de Supergirl) une de ces femmes – elle s'appelait Kim ou Cam – s'était blottie contre lui et l'avait *mordu*. Jusqu'au sang. Il avait été vraiment blessé (dans son amour-propre) et après cela ils ne s'étaient jamais bien entendus et, pour Dieu sait quelle raison, ça ne *l'amusait* plus autant d'enlever virilement les femmes dans ses bras.

Mais pourquoi pensait-il à d'autres femmes? Cela, c'était le passé. Il aimait Linda Lee, maintenant et pour l'éternité, et si une autre femme s'amusait à le porter...

– Moi par terre! dit-il d'un air féroce, prêt à se battre. (Ce serait une lutte inégale, il le savait, mais pour défendre sa virilité, il était prêt à aller jusqu'à la limite de ses forces.) Moi par terre, moi par terre!

– Très bien, très bien. Du calme mon grand. (Supergirl le mit sur ses pieds. Il vacilla un peu.) Dites-moi, tout va bien? Vous avez passé un sale moment là-bas...

– Moi? Un sale moment? (Ethan essaya de compenser la faiblesse de ses jambes par un surcroît de dignité.) Je suis en pleine forme, dit-il en s'écroulant comme une masse tandis qu'une noix de coco, tombée droit du ciel, le mettait K.-O.

Bianca approuva le coup de la noix de coco.

– Très bon. Parfait. Très astucieux, applaudit-elle.

– Le vieux tour de la noix de coco qui tombe du ciel, renifla Selena. Tous les débutants le connaissent. (Elle tendit l'Omegahedron vers le miroir-écran.) Puissances de la nuit... ramenez-moi Ethan ici!

Cela avait déjà marché, mais pas cette fois-ci.

Rien ne bougea sur l'écran. Ethan était toujours étendu, inerte, sur la plage, Supergirl, penchée sur lui, jetait de temps à autre un regard intrigué vers le ciel comme si elle se demandait d'où venait la noix de coco.

– Obéis, obéis! s'écria Selena sans résultat. Qu'est-ce qui cloche? Qu'est-ce que je fais mal?

– Vous faites tout ce qu'il faut, la rassura Bianca. Vous ne voulez pas recommencer le coup de la noix de coco?

– Non! Je veux l'avoir ici. Est-ce si difficile? Pourquoi, chaque fois qu'*elle* se trouve dans les parages... (Au comble de la frustration, Selena faillit ronger un de ses ongles rouges. Lorsqu'elle s'en rendit compte, elle cacha vivement ses mains derrière son dos.) Réfléchissez, Bianca. Gagnez votre croûte pour une fois! Vous n'avez pas une idée?

Bianca hocha la tête.

– Accordez-moi une minute ou deux.

Elle aspira une bouffée de fumée de son fume-cigarette et sortit un nouveau chewing-gum. Bien sûr qu'elle avait des idées, mais elle n'était pas pressée de les partager. Bianca accouchait habituellement de ses idées aussi vite qu'elles lui venaient – ce qui ne signifiait pas, bien entendu, qu'elles lui venaient très vite. Mais tout de même, s'il fallait se donner le mal de réfléchir, ce n'était pas pour se faire rembarrer juste comme *ça*. Bianca fit claquer ses doigts.

– Quoi, quoi? demanda Selena.

– Silence. Je pense.

Selena n'était pas la seule à savoir prendre des airs majestueux. Le chewing-gum empêchait Bianca de réfléchir et elle le coinça sous sa lèvre supérieure. Voilà. A présent, elle pouvait se concentrer. Elle se mit à arpenter la chambre en agitant son fume-cigarette. Elle aimait la façon dont Selena la regardait, suspendue à ses moindres gestes.

– Eh bien, dit-elle enfin lorsqu'elle jugea que Selena était mûre pour accepter une idée. Je pense que nous devrions appeler qui-vous-savez.

– Qui? Qui-vous-savez?

– Pas qui qui. *Qui.*

– Quoi?

– Non. Qui-vous-savez.

– Qui est qui?

– Qui-vous-savez.

– Bianca!

– D'accord, d'accord, dit Bianca précipitamment. Puis, espérant que Selena ne sauterait pas au plafond, elle dit encore plus vite (pour en finir) : Je crois que vous devriez donner une chance à Nigel de vous aider à résoudre le problème.

– Nigel! Vous appelez ça une idée! C'est, à mon sens, une abomination.

Bianca haussa les épaules.

– C'est ma meilleure trouvaille. Il a roulé sa bosse, vous savez. Il sait des choses que vous ignorez, sans vouloir vous offenser. Il est plus âgé, il a de l'expérience.

– Je n'ai que faire de son expérience, dit Selena, mais avec moins de virulence.

Bianca la sentit faiblir.

– Mais vous voulez comment-qu'il-s'appelle, dit-elle en montrant l'écran.

– Oui, oui, oui, oui, OUI! dit Selena en poussant un soupir.

– Serait-ce si terrible si Nigel vous aidait à le récupérer? (Bianca lui tendit le téléphone.) Appelez-le. Allez-y. Tout de suite. Comme ça, ce sera fait. (Puis elle ajouta astucieusement :) Vous avez le chic pour l'entortiller autour de votre petit doigt. J'adore vous regarder faire.

– Vous me flattez, dit Selena en lui prenant le téléphone des mains. Et j'adore ça.

18

Nigel avait été convoqué. Convoqué par Selena. Il poussa son cri de guerre. Tu vois, Nigel, ça paie de se faire désirer. Son humeur triomphale ne fut que légèrement altérée par le souvenir de leur dernière entrevue durant laquelle Selena lui avait fermé une porte – en fait pas UNE mais SA porte au nez. Il ne s'était donc pas fait vraiment désirer mais avait plutôt boudé, à vrai dire. Enfin, on ne pouvait pas gagner à tout coup.

Il se leva, se rasa, se coiffa, coupa les ongles de ses orteils ainsi que les deux longs poils de son oreille gauche et mit son veston préféré, vert caca d'oie, dont les revers de poche étaient d'un bleu électrique. Il jubila pendant au moins six minutes. Puis le doute s'insinua comme une ombre dans son âme. Du calme, mon garçon, c'est à Selena que tu as affaire. Je sais, je sais, mais... Mais quoi ? questionna le Doute. Mais je suis fou d'elle, pleurnicha Nigel. Elle me fait perdre la tête.

Il avait mis le doigt dans le mille. Perdre la tête. Il fallait qu'il fût fou pour faire ses quatre volontés. Il savait à quoi s'en tenir sur elle, la connaissait mieux qu'elle ne se connaissait elle-même. Rapide inventaire du caractère estimable de Selena : elle était cupide, vaine, ambitieuse, assoiffée de pouvoir, tyrannique, irritable et capricieuse. Cela résumait à peu près ses qualités.

Etait-ce là quelqu'un d'aimable? Non. L'aimait-il? Oui. Pourquoi? Comment savoir? L'amour n'était qu'une de ces forces mytérieuses. L'appréciait-il? Non. Pourquoi? Pourquoi l'aurait-il fait? Il n'appréciait pas la plupart des gens en dehors de lui-même. Alors, pourquoi ne pas rester loin d'elle?

Trop tard! La porte s'était ouverte, le téléphone avait sonné, Selena avait appelé et Nigel courut (ou dans ce cas précis, conduisit) à toute vitesse vers la fête foraine. Il ne voulait pas la faire attendre mais, durant tout le trajet, jusqu'à l'instant même où Selena lui ouvrit la porte, il ne cessa de se mettre en garde. Du calme, Nigel, attention à tes arrières et si un chat noir croise ton chemin, crache trois fois par terre.

— Bonjour, dit Selena en se carrant dans l'encadrement de la porte. Entrez, cher Nigel! Bii-aaan-caaa! Devinez qui est là?

— Nigel?

— Qu'elle est intelligente!

Selena souriait de toutes ses dents.

Des signaux d'alarme s'allumèrent dans le cerveau de Nigel. Une Selena souriante n'était pas une Selena reconnaissable. Où, mais où était la femme vicieuse, égoïste, familière qu'il connaissait et qu'il aimait?

— Alors, quel est le marché? demanda-t-il brusquement. Laissons les préliminaires, Selena. Ou bien croyez-vous que je sois né de la dernière pluie?

— Nigel, j'ai le plus grand respect pour vous. (Elle lui lissa le col de sa chemise.) Nous avons eu d'infimes malentendus dans le passé, susurra-t-elle, mais ne pouvons-nous pas les oublier? Nous pouvons réaliser tant de choses ensemble. Nous pourrions unir nos forces, travailler en équipe, côte à côte, attelés à la même charrue.

Nigel la regarda, abasourdi. Selena attelée? Malgré tous ses efforts, il n'arrivait pas à l'imaginer en cheval de trait.

– Pensez seulement à tout ce que nous pourrions réaliser, Nigel, avec mon pouvoir et votre savoir...

– Nigel! (Bianca fit éclater sa bulle de chewing-gum. Toute cette haute diplomatie l'impatientait.) Souvenez-vous simplement de ceci : le plus court chemin jusqu'au cœur d'une femme passe par l'élimination de ses rivaux.

– Jusqu'au cœur d'une femme, murmura Nigel un peu dérouté. (Puis il comprit.) Vous voulez que je TUE quelqu'un?

– Certainement pas, fit Selena. Juste ciel! Vous nous voyez envoyer ce bon vieux Nigel perpétrer un meurtre? *Quelle folie!* (1) Votre travail consiste simplement à livrer la marchandise.

Elle fit un large geste en direction du miroir et Supergirl apparut sur l'écran.

– Elle? (Nigel regarda à nouveau.) Elle vole? Pour de vrai? Ou bien y a-t-il de petits fils invisibles attachés à son costume?

– Elle vole, fit Bianca en battant des bras.

– Parfait. Et comment suis-je censé attraper un oiseau pareil? Dans un filet à papillons?

– Ne soyez pas assommant, Nigel, dit Selena en retrouvant son naturel. Servez-vous de votre imagination... Oh, inutile. (Elle fit claquer ses doigts.) J'ai trouvé. Ramenez-le-moi, *lui.*

(1) En français dans le texte.

Un nouveau geste du bras et Ethan apparut sur le miroir. Nigel était certain d'avoir déjà vu ce visage séduisant, mais où? Vous en voyez un et vous les avez tous vus.

– Amenez-le-moi, répéta Selena, et *elle* suivra.

– C'est moi qui aimerais bien suivre, murmura Nigel. (Il alla chercher un verre d'eau dans la cuisine. Il y avait une faille dans le raisonnement de Selena – amenez-le-moi et elle suivra? – mais il n'avait pas encore mis le doigt dessus.) Il faut que je réfléchisse, Selena.

– A quoi donc, Nigel?

Selena l'avait suivi, *lui*; ça, c'était un événement!

– Dites simplement que vous le ferez. Pour moi, ajouta-t-elle d'un air enjôleur.

– Pourquoi le voulez-vous? Lui?

– D'abord, dit Selena en le tapotant du doigt, pour pouvoir l'attraper, elle. Ensuite – elle le tapota un peu plus fort – pour avoir le temps de maîtriser mon nouveau jouet... Vous l'avez vu, n'est-ce pas? (Elle plaça le Coffret des Ombres gonflé sur la table. Il palpitait légèrement.) Vous savez ce qui se trouve à l'intérieur.

Nigel le savait parfaitement et il n'aurait pas dédaigné mettre la main dessus pour se le réserver à son propre usage. On verrait alors qui ferait les quatre volontés de l'autre. Mais le spectacle du Coffret des Ombres qui palpitait et rebondissait le mettait mal à l'aise. Il sentait que la chose à l'intérieur n'était pas satisfaite. Nigel aurait aimé qu'elle eût un nom décent au lieu de s'appeler « ça » ou « la chose » ou « le trucmachinchose ». Comme son Burundiwand, par exemple. Il le respectait, il lui avait donné un nom, il l'appelait par ce nom.

– Qu'est-ce que cette fille a de commun avec ce qu'il y a là-dedans?

Selena leva un sourcil dédaigneux.

– N'est-ce pas évident?

– Evident, répéta aussitôt Nigel. Certainement. Elle est, hm, euh, ah...

– Une menace, acquiesça Selena. C'est exactement le mot que j'allais utiliser. Elle est une menace. Une menace volante. Une menace et un danger pour nous et notre façon de vivre. Nigel, nous n'aurons pas de repos tant qu'elle volettera dans les airs. Les citoyens impuissants ne sont pas en sécurité. Mais à nous deux, nous pouvons en venir à bout, ne croyez-vous pas?

Nigel avala d'un trait un deuxième verre d'eau. Cela le rendait nerveux de se faire courtiser par Selena. Il adorait cela, bien entendu, mais s'attendait à chaque instant à voir le ballon éclater. D'un geste nonchalant, il prit une coquille de noix dans le pot contenant le philtre d'amour froid. Mollasse, mollasse.

– Lâchez-ça, dit Selena. (En dépit du fait qu'elle lui demandait son aide, ce qu'elle n'appréciait pas *du tout* – oh, il allait le lui payer un de ces jours, mais à présent, elle avait besoin de lui, l'animal, et s'il ne répondait pas oui à ses exigences dans moins de *deux* secondes, elle ne répondait plus de ce qui pourrait arriver –, en dépit de tout cela, elle était si sûre de son ascendant sur lui que lorsqu'elle lui dit de lâcher la coquille de noix, elle n'imagina pas un instant qu'il pourrait ne pas s'exécuter et ne s'en préoccupa plus.)

– Très bien, Nigel. (Elle commençait à en avoir vraiment assez d'être si GENTILLE avec lui.) Que répondez-vous? Etes-vous avec moi? De quel bord êtes-vous? Puis-je compter sur vous?

– Je réponds...

C'était maintenant ou jamais le moment de distribuer les cartes, de jeter les dés. Il pouvait battre en retraite ou bien franchir le Rubicon. Rester à jamais prof de maths d'une horde de petites pimbêches riches ou devenir un roi assis à côté de sa reine. Y avait-il à hésiter? Non, mille fois non. Mais pourquoi le dire à Selena tout de go? Qui pouvait dire quand elle serait à nouveau suspendue à ses moindres paroles? Tout en réfléchissant ainsi, il tripotait la coquille de noix, machinalement. Elle s'ouvrit et l'araignée tomba.

A l'instant précis où l'araignée tomba hors de la coquille de noix dans la cuisine de Selena, Ethan, étendu sur la plage à l'endroit même et dans la position où il avait reçu la noix de coco sur la tête, ouvrit les yeux.

– Eh bien! Bonjour, dit Supergirl. Vous vous décidez enfin à revenir sur Terre?

Ethan la regarda. La Terre? Qui était-elle? Où se trouvait-il? Que faisait-il sur une plage? Il se leva. Que se passait-il et pourquoi se sentait-il, comment dire? flageolant? C'était quelque chose qu'il n'aimait pas admettre. Il se passa une main sur la tête. D'où venait cette bosse? Puis il regarda la fille au costume bizarre.

– Bonjour, dit-il avec circonspection. Qui êtes-vous?

– Kara.

Supergirl remarqua qu'il avait le regard plus *clair* qu'auparavant. Et maintenant, une expression nouvelle se dessinait sur son visage. Il avait l'air plus tendu, plus vieux, en réalité. Et soupçonneux. Il la dévisageait comme s'il ne l'avait jamais vue.

– Kara, répéta-t-il, pourquoi portez-vous ce costume?

– Parce que c'est le mien.

– Qui êtes-vous?

– Kara, répéta-t-elle patiemment comme si c'était *lui* le phénomène.

– Il ne s'agit pas de votre nom. Je veux dire, *qui êtes-vous*?

– Je suis une amie.

Parfait. *Je suis une amie.* Pourquoi pas un cadet de l'espace? Il se trouvait en étrange compagnie mais c'était la seule présente.

– Dites-moi, Kara. Voudriez-vous m'expliquer ce qui se passe? J'ai du mal à me souvenir pourquoi nous sommes venus ici – suis-je venu avec vous?

– Oui.

– Eh bien... pourquoi? Une partie de plage ou quelque chose de ce genre? J'étais en route pour mon travail... (Bizarre. Il n'arrivait pas à se souvenir de la suite. Il était presque certain d'être arrivé à destination – oui, il se souvenait d'avoir garé la camionnette. La camionnette. Où était-elle?) Où est ma camionnette? demanda-t-il. Nous sommes venus ici dans ma camionnette, n'est-ce pas?

Il jeta un coup d'œil à sa montre puis la secoua. Elle se déréglait tout le temps. Elle indiquait une fausse date et la mauvaise heure.

– Vous avez reçu une noix de coco sur le crâne, dit la fille.

Quel sens de l'humour! Où était-ce tout simplement de la folie? Sûr, il avait reçu une noix de coco sur la tête sur une plage de Chicago.

– Où sont les autres, Kara?

– Il n'y a que vous et moi.

Il regarda le costume de Supergirl avec insistance.

– Bal costumé à deux?

– Ce n'est pas un costume, Ethan. Ce sont mes vêtements.

– Bon, bon. Si vous y tenez.

– Je n'y tiens pas. C'est la vérité.

Il y avait quelque chose dans son aspect, dans la façon calme et assurée avec laquelle elle le dit, qui le convainquit. Mais c'était absurde! Il reconnaissait ce costume. Superman, bien sûr! C'est sur lui qu'il avait vu cette cape rouge et cette chemise bleue barrée d'un grand S rouge. Que faisait-elle dans le costume de Superman? Oh, oh, Ethan. C'est une lunatique. Il vaut mieux faire attention. Mais c'était difficile à croire. A part ses vêtements, elle paraissait normale... mieux que normale, en fait, et bien plus belle que Superman.

– Ethan. (Elle lui posa la main sur le bras, ce qu'il apprécia.) Je suis contente de voir que vous allez bien. Il faut que je parte maintenant. J'ai des choses importantes à faire. Je vous promets de revenir plus tard, dès que j'en aurai fini avec ce que je dois faire au parc d'attractions.

– Le parc d'attractions... répéta Ethan.

Cela évoquait en lui quelque chose. Tout était si brouillé dans son esprit. Il lui semblait avoir perdu des heures, des journées entières peut-être... Mais n'y avait-il pas eu une fille du nom de Linda? Linda... Linda *Lee*. C'était cela. Il se souvint soudain qu'il avait été assis à côté d'elle sur le manège et qu'ensuite... ensuite... Il fronça les sourcils. Il s'était passé quelque chose de terrible... mais quoi? Pourquoi ne s'en souvenait-il pas? C'était si frustrant! Où était Linda Lee? Et pourquoi pensait-il qu'il fallait absolument la retrouver?

– Il faut que je trouve Linda Lee, dit-il. Je crois... je crois qu'elle a besoin de moi.

142

La fille appelée Kara sourit. Joli sourire.

– Ne vous inquiétez pas pour Linda, dit-elle. Elle va bien. Elle n'a besoin de personne.

– Comment le savez-vous ? (Ethan s'agita.) Vous êtes son amie aussi ? (Kara fit signe que oui.) Alors, si vous êtes son amie et la mienne, vous savez que je ne vous raconte pas d'histoires. Un danger la menace. Ne me demandez pas lequel. Faites-moi confiance. Amenez-moi auprès d'elle si vous le pouvez.

– C'est *vous* qui devez me faire confiance, dit Kara. Le ferez-vous, Ethan ?

Ethan réfléchit un moment puis hocha la tête. Ce fut pour lui un premier sujet d'étonnement – il lui faisait vraiment confiance. Ensuite, à sa grande surprise, il s'entendit dire :

– J'aime Linda Lee.

Il n'avait pas pensé un instant qu'il allait le dire. Il se faisait peur. Toi, Ethan, le séducteur du monde occidental, déclarant ton amour pour une femme, et cela en toute *sincérité* ?

Non pas qu'il n'ait jamais prononcé ces mots avec quelques variantes auparavant. Il avait souvent dit à des femmes qu'il les aimait. Cependant, autant qu'il s'en souvienne, ni lui ni les femmes à qui il s'adressait ne l'avaient jamais pris au sérieux. Pourtant, cette fois-ci, c'était différent. Il ne le disait pas pour marquer des points.

Effrayant. Aimer vraiment quelqu'un en dehors de soi-même, quelle responsabilité ! Puis il le répéta :

– Je l'aime.

Kara hocha la tête comme si elle comprenait et qu'elle était déçue. Pendant un instant, il regretta que ce ne soit pas bien élevé d'aimer deux femmes à la fois de tout son cœur. Car s'il n'avait pas aimé Linda Lee... Mais c'était ainsi.

– Ethan, au revoir, dit Kara. Il faut que je parte maintenant.

– Alors, partons ensemble. Je veux retrouver Linda Lee.

Il se mit à courir au petit trot. Il aurait juré qu'il avait une bonne longueur d'avance sur Kara, mais soudain elle fut devant lui, lui barrant la route. Puis il comprit. Elle avait volé par-dessus lui et s'était posée devant. Il se le répéta très calmement, comme ceci : *Ah oui! Je comprends maintenant. Elle a volé par-dessus ma tête et s'est posée devant moi.* Puis il comprit tout à coup : *elle a volé? Volé?*

– Kara, dit-il d'un air détaché pour ne pas paraître cinglé. Je crois que je vous ai vue voler.

Il attendit.

– Uh huh, fit-elle.

– Est-ce que ça veut dire oui, vous m'avez vue voler?

– Ecoutez, Ethan, détendez-vous. Tout est pour le mieux. Attendez ici pendant que je vais à la fête foraine régler plusieurs choses. D'accord?

– Pas d'accord, dit-il en élevant la voix pour se convaincre que c'était *lui* l'homme dans cette affaire. Répondez à ma question. Vous ai-je, oui ou non, vue voler?

– C'est oui, dit-elle en soupirant.

– Oh, wouah! fit Ethan, bien plus calmement. Vous volez, vous? Comme Superman?

– C'est mon cousin.

– Oh, wouah! (Exclamation expressive. C'est ce qu'il trouvait de mieux pour l'instant.)

– Mais, je vous en prie, Ethan, ne le dites à personne. C'est un secret. Vous me le promettez?

– Bien sûr. Oh, wouah! répéta-t-il plusieurs fois encore. Est-ce que vous savez faire tout le numéro de Superman? Bondir par-dessus les immeubles; regarder à travers les choses avec votre regard aux rayons X; plier les barres d'acier?

– Oui, oui, oui.

– C'est fantastique, dit Ethan. Fan-tas-tique.

Il était estomaqué. Quelle fille! Tous ces pouvoirs, et ravissante par-dessus le marché! Et il était là, tout seul avec elle sur cette plage déserte. Seul avec Supergirl. Il se pencha vers elle... puis se souvint. Linda. Il recula. Oui. Linda. Il aimait Linda.

19

A l'intérieur du Train Fantôme, la patience de Selena, toujours précaire, s'épuisait rapidement.

– Allons-nous nous associer, oui ou non? demanda-t-elle sur un ton péremptoire. (Elle en avait assez de perdre son temps avec ce prof de maths lunatique et miteux.) Allez-vous vous décider à me ramener le jardinier ou dois-je chercher un autre associé?

– Vous ne feriez pas cela, Selena.

– Ne m'y poussez pas, Nigel. Je suis capable d'une *quantité* de choses qui vous surprendraient.

– Je n'en ai jamais douté, ma jolie.

Il savourait d'autant plus sa repartie que la dernière fois qu'il avait appelé Selena « ma jolie », il s'était fait vertement rabrouer.

– Vous êtes peut-être incapable de faire ce que Selena attend de vous, suggéra Bianca.

Oh! la petite rusée! Nigel se redressa de toute sa taille afin de pouvoir la regarder les yeux dans les yeux.

– Croyez-moi, Bianca, je suis capable de faire tout ce qui est nécessaire.

– Heureuse de vous l'entendre dire, mon chou.

Bianca lui souffla une bouffée de fumée amicale dans la figure.

– Cependant, poursuivit-il, j'ai besoin de tenir le mystérieux petit trucmachinchose pendant que j'opère.

– N'y pensez plus.

Selena s'interposa entre lui et le Coffret des Ombres.

– Eh bien... fit Nigel d'un air chagriné... si c'est ainsi, ma jolie, désolé, mais pas de trucmachinchose – pas de jardinier. Autant que je m'en aille.

Il se dirigea lentement vers la porte... très lentement... tout en attendant qu'elle le rappelle. Gauche... droite... gauche... droite... Il s'arrêta pour relacer ses chaussures. Il pariait sur le fait qu'en cette circonstance précise, il avait tous les atouts en main. Et s'il se trompait? Alors tant pis pour lui et adieu la belle Selena. Cette perspective ne l'enchantait pas. La vie serait si insipide sans elle! Il sortit ses clefs de voiture de sa poche et les laissa tomber puis se pencha lentement pour les ramasser. C'était maintenant ou jamais... Si elle ne le rappelait pas...

– Niiigel!

Il se retourna d'un bloc.

– Prête à négocier?

Selena lui lança le mauvais œil.

– Oui, minus.

146

Il s'inclina.

– Ma jolie.

– Bouclez-la, fit Selena. (Toute à son projet maintenant, elle ouvrit le couvercle du Coffret des Ombres.) N'oubliez pas une chose, Nigel. Ceci m'appartient. (Elle posa les deux mains sur l'Omegahedron.) Maintenant, au travail.

Nigel ouvrit lentement et cérémonieusement sa serviette. L'instant était solennel. On pourrait même dire que c'était un tournant dans sa carrière. Il poussa de côté une pile de vieux devoirs et quelques petits pains aux raisins qui tombaient en miettes.

– Aha! Le voici.

Lentement à nouveau, tout en appréciant l'effet produit sur son auditoire, il sortit le Burundiwand.

Le Burundiwand. Nigel était le premier à admettre que c'était une étrange concoction, un conglomérat biscornu d'os blanchis, de dents, de cornes. Il n'y avait rien d'intrinsèquement répugnant ni de terrifiant dans tous ses composants (des dents? des os?) mais dans son ensemble, c'était un objet d'horreur qui provoquait une terreur intense chez ceux qui le contemplaient, surtout les non-initiés. Son aspect seul avait déjà provoqué six crises cardiaques, un carambolage de vingt-trois voitures et deux suicides.

– C'est *quoi*? demanda Bianca en tirant la langue.

Nigel regarda le Burundiwand affectueusement. Il avait mis des années à le perfectionner.

– Le mal à l'état pur, sans altération, ma chère Bianca.

– Je n'ai pas confiance. Selena, pourquoi ne le

renvoyez-vous pas chez lui avec son vilain petit objet?

– Bonne idée!

– Allons. (Nigel eut un sourire paternel.) Entre nous, que pourrait-il se passer de déplaisant? (Il tendit la main vers Selena.) On y va?

Selena se mordit la lèvre. Après toutes ces cajoleries, elle ressentait des petits frissons – appelez cela intuition, faute de mieux. Des doutes. Elle se posait un tas de questions. Faisait-elle vraiment confiance à Nigel? Jusqu'à quel point? Pas à cent pour cent, ça, c'était certain. A cinq? à deux pour cent? En tout cas, elle avait cette sensation bizarre, bizarre, derrière les oreilles, comme lorsque le temps allait tourner à la pluie, comme si quelque chose lui disait : attention Selena!

A contrecœur, elle lui tendit l'Omegahedron. Nigel s'en saisit. Doucement, là! Il n'était pas question de le lui laisser prendre sans qu'elle le tienne de l'autre côté.

– Je ne le lâche pas, Nigel, dit-elle pour que ce soit parfaitement clair.

– Bien entendu, ma jolie, ronronna-t-il. Que nous tenions tous deux cette petite boule mystérieuse est d'un symbolisme parfait. Je ne voudrais pas qu'il en soit autrement.

Il ferma les yeux, marmonna une formule magique et rapprocha le Burundiwand de l'Omegahedron. Ce qui arriva ensuite, aucun d'eux n'aurait pu le prévoir.

Par la suite, Bianca prétendit qu'elle avait cru qu'ils avaient été foudroyés. Ses dents étaient devenues d'une sensibilité incroyable, exactement comme lorsqu'un dentiste vous soigne une dent et qu'il touche le nerf... Ensuite, ses yeux étaient nus tout blancs et elle avait cru qu'elle était aveugle.

– Mes mains me brûlaient comme si je tenais des braises, dit Nigel.

Selena pensa qu'ils exagéraient tous deux, comme des enfants qui veulent se faire remarquer.

– Ce que j'ai ressenti, moi, leur dit-elle, c'était un bruit intense, presque insupportable dans les oreilles.

En ce qui la concernait, c'était tout. C'est aussi ce qu'avaient dû ressentir Bianca et Nigel. Et si ce n'était pas le cas, cela aurait dû l'être.

Mais ils tombèrent tous d'accord pour dire que le Burundiwand et l'Omegahedron s'étaient mis à vibrer avec une telle violence dans les mains de Selena et de Nigel qu'ils avaient eu beaucoup de mal à ne pas les lâcher. Ils avaient été projetés dans tous les sens. La pièce entière avait tremblé.

– Eh! Arrêtez, vous deux! s'était exclamée Bianca.

Mais il leur avait été impossible de séparer l'Omegahedron du Burundiwand. Pas avant l'explosion de lumière qui avait tout changé.

20

Supergirl avait des problèmes avec Ethan. Il insistait pour aller à la recherche de Linda Lee, disant qu'il l'aimait et qu'il devait la sauver. Tout ce que Supergirl attendait de lui, c'était qu'il s'installe, qu'il contemple l'eau et qu'il réfléchisse. Il pouvait penser à ce qu'il voulait – aux voitures, à l'herbe ou même à Linda Lee. Cela ne la gênait pas, dans la mesure où il ne s'agiterait plus! Elle avait tant à faire; pourquoi ne le comprenait-il pas?

– Ethan, dit-elle, vous ne cessez de répéter que vous aimez Linda Lee. C'est parfait, mais vous ne la connaissez même pas.

– Bien sûr que si.

Ses souvenirs lui revenaient de mieux en mieux. Des bribes et des morceaux se mettaient en place. C'était la fille la plus adorable et gentille qu'il avait jamais rencontrée et, de plus, ses baisers étaient de la dynamite.

– Non, Ethan. Vous ne la connaissez pas *vraiment*. Vous ignorez qui elle est, ce qu'elle est...

– On connaît quelqu'un ou pas, dit Ethan. Croyez-moi, je connais Linda Lee. Je pourrais la repérer au milieu d'une foule!

– Vous ne saisissez pas, fit Supergirl. Quand je dis « connaissez », je pense à son *âme*. Est-ce que vous utilisez aussi ce mot?

– Parfois, dit Ethan, un peu interloqué. Son âme. *Allons.*

Il essaya d'esquiver Supergirl. Elle lui donna une minuscule pichenette de son auriculaire qui le fit tituber en arrière comme s'il avait été accroché par un bulldozer.

– Fameux tour, dit-il en riant jaune. Ecoutez, Kara... (Il décida de faire appel à sa sensibilité.) Je sais que vous aimez aussi Linda Lee, alors pourquoi nous disputer? Allons la chercher ensemble.

– Ethan, je vous le répète, Linda Lee n'est pas en danger, dit-elle distinctement. Elle n'est pas, répétez, PAS, en danger.

Autant pour la sensibilité. A présent, les grands

moyens. Faisant une assez bonne imitation d'un gorille voulant impressionner un adversaire, il leva les épaules et baissa la voix.

– Je ne voudrais pas être brutal avec vous, Kara.

Elle rit. Dieu que cela faisait mal! Les filles peuvent se montrer si insensibles parfois.

– Oh, Ethan. L... Si vous ne me croyez pas... Linda va très bien.

– Pouvez-vous le prouver?

– Puis-je le... Oui. (Elle eut un petit sourire en coin.) Ethan, vous êtes prêt?

– A tout.

Elle se pencha vers lui et l'embrassa. Oh, wouah! Ethan ferma les yeux en pleine extase puis les rouvrit brusquement.

– Linda? dit-il ou plutôt essaya-t-il de dire car il ne parvint qu'à sortir le L. (Le reste du nom se transforma en gargouillement.) Lurrreeghhhhhh...

Il y eut une explosion de lumière et il disparut.

L'explosion de lumière que Bianca, Nigel et Selena ressentirent chacun à leur façon (mal aux dents, mains brûlantes, oreilles sifflantes) était la même que celle qui mit fin aux révélations faites à Ethan au sujet de Linda Lee et Supergirl. Le Burundiwand avait accompli sa tâche et, en l'espace d'une fraction de seconde, Ethan se transforma, d'homme libre qu'il était, en train d'embrasser voluptueusement Supergirl, en prisonnier complet, avec chaînes et entraves, dans la chambre à coucher de Selena, à l'intérieur du Train Fantôme. C'était un choc plutôt rude.

Tenant toujours l'Omegahedron, Selena passa la tête par la porte et regarda son parfait prisonnier, enchaîné des pieds à la tête au pied du lit et se faisant petit comme une souris. Il était adorable, délicieux, tel qu'elle s'en souvenait.

– Bonjour, fit-elle.

Le prisonnier se contenta de lever les yeux vers elle. Sans doute avait-il besoin de s'adapter.

– Je comprends, dit-elle d'un air compréhensif.

Tout avait fonctionné à merveille. Entre le truc-machinchose et le Burundiwand, il n'y avait rien qu'elle ne pourrait accomplir à présent, rien qui puisse lui résister. Et sans Nigel, elle n'aurait peut-être jamais deviné l'étendue de leurs pouvoirs combinés. Ce bon vieux Nigel! Adorable petit vieux. Il méritait une récompense toute spéciale.

– Au revoir, beau jardinier. A bientôt.

Elle referma la porte de sa chambre en souriant. Elle avait toutes les raisons de sourire. Ethan était entre ses mains. Elle possédait le trucmachinchose. Et bientôt... elle aurait... autre chose, d'encore plus appréciable.

– Nigel, cher Nigel, s'écria-t-elle en se précipitant vers lui. C'est *prodigieux*!

– Je ne comprends toujours pas, dit Bianca pensivement. Vous voulez à nouveau me supplanter?

– Nigel chéri, s'écria Selena en écartant Bianca. Je retire toutes les abominations que j'ai pu dire à votre sujet. Vous êtes un génie.

Nigel sourit modestement au Burundiwand qu'il tenait à la main.

– Avec l'aide de mon ami. Cependant, cette idée m'a déjà souvent traversé l'esprit. Je suis...

– Un GÉNIE, dit Selena. Chéri, un génie en mérite un autre. Vous me méritez.

Elle l'embrassa avec fougue. Oh, oui, pensa Nigel. Il avait retrouvé sa Selena, la Selena qu'il avait connue au début, une femme chaleureuse, aimante, radieuse. Il se perdit dans le baiser, se souciant peu de se retrouver. Il lui suffisait que Selena continue à l'embrasser de cette façon pour toujours.

Selena appréciait aussi le baiser à vrai dire mais, dans la plus pure tradition des grands entrepreneurs, elle ne laissait jamais le plaisir intervenir dans les affaires. L'esprit de Nigel était engourdi par l'extase; celui de Selena bourdonnait comme un ordinateur.

Elle avait l'Omegahedron. Nigel avait le Burundi-wand. Comme l'on prend un bonbon des mains d'un enfant, elle prit le Burundiwand de la main de Nigel.

– Oh, dites, fit Nigel, ne sachant guère ce qu'il voulait dire et à peine alarmé en voyant sa BIEN-AIMÉE avec l'Omegahedron dans une main et le Burundiwand dans l'autre. Pauvre Nigel.

Selena mit le Burundiwand en contact avec l'Omegahedron.

Un éclair de lumière. Les dents de Bianca lui firent mal. Les oreilles de Selena résonnèrent. Et Nigel, de vigoureux jeune homme qu'il était l'instant d'avant, se transforma en vieillard.

– Ben vrai! s'exclama Bianca. Débarrassez-nous de cette vieille loque.

Nigel regarda les haillons qui couvraient ses membres décharnés. Il leva ses mains aux veines apparentes et parsemées de taches de vieillesse.

– Qu'avez-vous fait? s'écria-t-il d'une voix chevrotante. (Ses fausses dents s'entrechoquaient. Il se traîna jusqu'à une glace. Un vieil homme, tout ridé, les yeux profondément enfoncés dans les orbites, le regardait fixement.) Selena... vous allez le regretter... je suis le seul à pouvoir vous sauver... Vous avez besoin de moi...

– Je n'ai besoin de rien ni de personne. Par

contre vous, vous avez besoin d'un croque-mort, vieil homme.

Elle s'en détourna.

– Quittons ce taudis, Bianca.

Lentement, elle rapprocha le Burundiwand de l'Omegahedron.

21

Midvale était en proie à la plus grande confusion. Les avertisseurs avertissaient. Les sirènes hurlaient. La circulation était bouchée sur des kilomètres. Toutes les petites rues secondaires étaient bloquées par les voitures. Les magasins s'étaient vidés. Les gens se précipitaient hors des maisons et se groupaient dans la rue, regardaient, hébétés, montraient du doigt. Des voisins qui se détestaient depuis des années s'adressaient la parole.

– Qu'est-ce que c'est?... D'où ça vient?... La technologie, de nos jours, c'est ahurissant.

Lucy sortit d'une épicerie, tenant une pizza surgelée, et faillit s'étaler de surprise...

Jimmy Olsen, qui avait attendu Lucy, saisit son appareil photo et se mit à mitrailler. Bon sang! Quelle chance d'être sur place pour un événement pareil!

La cause de tout cet émoi était une montagne, apparue (durant la nuit, disaient certains; en un clin d'œil, prétendaient d'autres) à l'intersection de la Grand-Rue et de la rue du Chêne dans Midvale. A présent, l'intersection avait disparu, absorbée par la base de la montagne. La montagne elle-même était énorme, escarpée et sinistre.

Ce n'était pas une de ces aimables vieilles montagnes, douces, arrondies et couvertes d'arbres. Certains habitants de Midvale, tout en restant choqués par l'apparition d'une montagne (pour ainsi dire) sous leur nez, auraient parfaitement accepté de voir une de ces aimables vieilles montagnes surgir au-dessus de leur modeste petite ville. Une vieille montagne aux pentes douces ayant l'aspect d'une colline était bonne pour le ski en hiver et pour la cueillette des fleurs sauvages en été. On pouvait faire des pique-niques sur une bonne vieille montagne comme cela et ramasser des pommes de pin que l'on fait sécher pour que les gosses puissent les vaporiser avec de la peinture rouge et argentée et en décorer les sapins de Noël.

Même une montagne plus jeune, au sommet plus pointu, n'aurait pas été si mal, surtout si, du haut du sommet, il y avait eu une belle vue sur la campagne environnante. Les personnes âgées auraient pu y monter en voiture (une route aurait sûrement mené au Panorama) et les plus jeunes et les plus actifs s'adonner à la randonnée, à l'orientation et l'escalade. Une montagne pouvait être un véritable bien pour la communauté, un facteur de santé pour toute la population et une source d'orgueil commune.

Mais la montagne que contemplaient les habitants de Midvale et au sujet de laquelle ils s'interrogeaient était très différente. En dehors de l'immense maison biscornue coiffant son sommet (et qui donc pouvait bien y habiter? Il n'y avait même pas de route là-haut), à cette exception près, elle était laide et dénudée. Aride et menaçante. Elle n'avait pas de nom. Elle était simplement *là*. Sinistre, dit quelqu'un et un sondage réalisé par la suite montra que 95% des habitants de Midvale approuvaient, 3% étaient incertains et 2% sans opinion. Sinistre, pensait la majorité. Ou, ainsi que l'exprima la petite sœur de Heather McHugh, horrr-iiible!

Quel choc que de voir apparaître une montagne comme cela du néant! Sans prévenir, sans signes avant-coureurs, rien. Vous habitez une ville toute votre vie, vous croyez en connaître tous les recoins, les moindres détails, et tout à coup, voilà cette montagne qui vous domine. Une montagne qui, comme la plupart des montagnes, ne semble pas se contenter de vous dominer (pas d'autre terme possible) mais qui vous domine d'un air menaçant.

Horrr...iiible

22

Selena ouvrit toute grande une fenêtre à deux battants et respira l'air frais de la montagne. Son air. Son air personnel. Respirable uniquement par ceux à qui elle conférait cet honneur.

De très loin, tout en bas, lui parvenaient les bruits de Midvale. Elle regardait d'un air amusé les petites fourmis humaines qui vaquaient à leurs occupations. Les *siennes* se portaient bien, merci. Le problème Nigel était réglé. Ethan se mettait gentiment au diapason. Quant à ce... comment devrait-elle l'appeler? Manoir semblait si prétentieux mais, avec ses vingt-sept chambres, il était difficile de le qualifier de chaumière. Oh bon!... Quant à cette demeure, elle lui plaisait bien. Elle y avait tout le nécessaire pour son confort et son travail. Et elle avait vraiment beaucoup de travail. La mainmise sur le monde n'était pas une affaire aussi simple que certaines personnes (Bianca par exemple, qui refusait de faire autre chose que de se vautrer et de manger des chocolats) semblaient le croire.

Un *whooosh* venant de très haut dans le ciel au-dessus de sa demeure capta l'attention de Selena. Elle leva les yeux en se protégeant de la main contre le soleil et ce qu'elle vit amena un sourire satisfait sur ses lèvres. Elle envoya un baiser du bout des doigts à la silhouette volante qui s'approchait de sa petite retraite montagnarde. Exacte au rendez-vous. Et maintenant, il fallait lui préparer un accueil adéquat. Selena referma les battants de la fenêtre et disparut dans les recoins de la Casa Negra.

Ainsi, c'était là l'endroit où Ethan se trouvait prisonnier. La maison – était-ce un château? – où Selena et elle, Supergirl, allaient à nouveau se mesurer. Elle avait hâte d'y arriver mais prit son temps, survolant la maison, l'examinant sous tous ses angles. Ce n'est qu'après avoir acquis la certitude d'en avoir reconnu toute la disposition, qu'elle se posa sur un balcon soutenu par des gargouilles accroupies.

Elle ouvrit une porte-fenêtre à deux battants et entra dans une immense pièce sombre. Les têtes d'animaux empaillés, accrochées aux murs, la regardaient de leurs yeux fixes.

– Ethan? murmura-t-elle. Etes-vous là?

Elle fit un pas de plus dans la salle plongée dans un silence sinistre, puis erra de pièce en pièce, l'œil et l'oreille aux aguets. Des statues grotesques sommeillaient dans les recoins sombres. Des meubles massifs encombraient les pièces. Les murs étaient recouverts de lourdes tapisseries représentant des scènes torturées de la zone fantôme.

Supergirl s'enfonça de plus en plus dans la maison, comme dans une cave, écartant les toiles d'araignée. Toujours pas de Selena. Ni d'Ethan.

– Ethan... Ethan... murmurait-elle.

Enfin, elle entendit sa voix.

– Ici, je suis ici... gémit-il d'une voix pitoyable.

Elle l'aperçut enfin, cet homme splendide, enchaîné au mur comme un chien, devant une immense cheminée de pierre. Sa tête pendait lamentablement, ses yeux l'imploraient pour qu'elle vienne le délivrer.

– Oh, Ethan! (Elle se précipita vers lui.) Ethan, je suis venue vous sauver.

Parfait! Devant son miroir-écran, Selena observait Supergirl avec délectation. Sa rivale détestée, seul obstacle à ses rêves de domination mondiale, était tombée dans son piège, comme un vairon se prend dans un filet. Swisssh... swisssh... Un éclair argenté et il est pris.

Au moment crucial, Selena quitta son miroir et fit son entrée pour prendre part à la petite scène qu'elle avait préparée. Elle aussi entendit Supergirl dire ces paroles réconfortantes à Ethan. Comme elle les appréciait! *Je suis venue pour vous sauver, Ethan.* Parfait! Délicieux! Dommage que Bianca ne puisse pas en profiter. Mais tant pis. Elle s'en délectait comme une dizaine de Bianca.

Et maintenant, pensa-t-elle, sans quitter Supergirl des yeux, il faut que la synchronisation soit parfaite.

Elle tenait le trucmachinchose d'une main et le Burundiwand de l'autre. Il suffisait de les mettre en contact et – presto – ce que Selena voulait, elle l'obtenait.

Elle rapprocha le Burundiwand de l'Omegahedron. Presto. Ce que Selena voulait, elle l'obtint.

– Oh, Ethan. (Supergirl courut vers lui.) Je suis ici pour vous sauver.

Ce furent ses dernières paroles. Puis elle fut entourée. Pas par un simple mur de Selena, cette fois. Un polygone de verre brillant, mathématiquement sans faille, se matérialisa autour d'elle. Il l'enveloppa de toutes parts. Elle se ramassa sur elle-même pour s'échapper mais, sous tous les angles, il la renvoyait rebondir. Elle était scellée à l'intérieur, piégée, impuissante.

– Ethan, Ethan! s'écria-t-elle, mais même sa voix ne franchissait pas les limites du polygone.

Selena avait créé un champ magnétique impénétrable qui neutralisait les pouvoirs de Supergirl.

– Aimez-vous votre nouvelle demeure? demanda Selena en s'avançant? Je l'ai conçue tout exprès à votre intention, Supergirl. Et maintenant, direction la zone fantôme et jusqu'où vous irez, personne ne le sait.

Elle leva le Burundiwand et les chaînes qui retenaient Ethan s'évanouirent.

Il se releva, faisant jouer ses articulations. Selena lui caressa la joue et lui fit un petit baiser du bout des lèvres. Puis elle se tourna vers Supergirl qui se débattait dans sa prison de verre. Selena éclata de rire. Elle rejeta la tête en arrière et rit, rit, rit.

24

De nombreux changements s'étaient produits à Midvale. Tous bénéfiques pour Selena. Et les habitants de Midvale? Cela dépendait. Certains avaient perdu leur domicile lorsque la montagne de Selena avait absorbé l'intersection de la Grand-Rue et de la rue du Chêne ainsi que les artères avoisinantes. D'autres s'étaient mis à son service. Ils étaient cuisiniers, femmes de chambre, valets de pied, chauffeurs. Ils allaient et venaient de la ville au sommet de la montagne et gardaient le silence. Ils n'auraient d'ailleurs pu parler qu'à d'autres habitants de Midvale car Selena avait coupé toutes les communications avec le monde extérieur.

Elle avait rebaptisé Midvale le Royaume Mineur et la seule chose qu'elle exigeait de la population était une obéissance inconditionnelle. Pourquoi leur était-ce si difficile? Selena était extrêmement peinée par leur manque de loyauté. Elle faisait de son mieux pour pacifier ses humbles sujets en en jetant un bon nombre au placard. Malheureusement (pour eux), les habitants de Midvale persistaient à se croire indépendants, à s'imaginer qu'ils pouvaient vivre pour eux-mêmes plutôt qu'au service du Royaume. C'était une bande de fainéants psychotiques. Selena avait un moment envisagé d'ouvrir un hôpital psychiatrique afin d'y faire traiter les protestataires les plus acharnés mais de telles méthodes étaient vraiment dépassées. Pourquoi se donner du mal alors qu'elle avait le Burundiwand?

Le point culminant fut atteint un jour où la reine Selena décida de faire une sortie avec sa suite.

– Préparez la Rolls Royce bleue, ordonna-t-elle au chauffeur. (Il sortit en faisant force courbettes. Un moment plus tard, elle changea d'avis et le fit rappeler.) Je veux la noire à rayures d'argent aujourd'hui.

Il s'inclina jusqu'à ce que sa tête vienne presque toucher le plancher, tout en appréciant qu'elle soit toujours à sa place. Il était en fonction depuis peu mais savait que son prédécesseur avait commis l'erreur de répondre : « Oui, madame », à l'un des ordres de la reine Selena. Cela semblait pourtant raisonnable comme réponse, mais la reine Selena s'était mise en rage (elle n'aimait pas que les serviteurs ouvrent la bouche) et avait transformé l'ancien chauffeur en quelque chose de petit et de grouillant qui avait disparu dans un égout. Le nouveau chauffeur frissonna tout en sortant plié en deux.

Selena appuya sur sa main. Avait-elle vraiment envie de la Rolls noire à rayures d'argent ou de la bleu foncé à étoiles d'or ? Ah ! toutes ces décisions !

– Bianca ! Ethan ! Allons-y, les enfants.

Majestueuse avec tout le monde, elle aimait à se montrer familière avec son entourage.

Ethan et Bianca arrivèrent. Selena les inspecta. Elle tenait à ce que la famille royale donne aux manants un agréable frisson en se montrant dans toute sa splendeur. En ce qui la concernait, elle avait mis une robe de soie rouge du meilleur goût. C'était la quatrième fois qu'elle se changeait depuis le début de la journée. Une unique broche de diamants, épinglée près de l'épaule, rehaussait la robe et elle portait trois anneaux sertis de rubis à chaque main. Par contre, Bianca avait sur elle la même robe de velours noir que Selena avait déjà vue une demi-douzaine de fois. Elle l'avait égayée avec une ceinture de soie verte. Ses oreilles, ses bras, son cou croulaient sous les diamants. Selena secoua la tête.

– Un peu clinquant!

Bianca retira deux ou trois rivières de diamants et les jeta à la poubelle.

Selena tourna son attention sur Ethan. Aujourd'hui, il était tout en blanc. Très bien. Le blanc faisait merveilleusement ressortir son teint. Mais elle fut peinée (elle était très susceptible) de voir qu'il ne portait pas les chaînes en or dont elle lui avait fait présent. Que voulait-il? Elle l'avait couvert de cadeaux et de richesses mais rien ne semblait capable d'effacer le pli amer au coin de ses lèvres. Il avait, pensa-t-elle, un problème de *comportement*. Et cela ne faisait qu'empirer. Il ne souriait presque jamais, ne faisait jamais de plaisanteries. Et, ce qui était plus grave encore, elle le soupçonnait fortement de rêver tout éveillé, d'avoir des *pensées secrètes*.

Terrible est l'isolement d'une tête couronnée, pensa Selena en s'apitoyant un tantinet sur son sort. Il n'y avait vraiment personne à qui elle pouvait se confier. Elle avait pourtant placé tant d'espérances en Ethan! Elles pouvaient encore se réaliser et elle était prête à lui donner sa chance. Elle serra le Burundiwand sous son bras. Sinon... Elle poussa un soupir.

Ce serait un TEL gâchis.

Le convoi motorisé s'engagea sur la route de montagne (elle avait eu quelques déboires à ce sujet avec le Burundiwand. Il n'arrêtait pas de lui tracer

162

une route toute droite du sommet jusqu'au pied de la montagne au lieu d'une route en lacet). Les gardes, postés tous les cinq cents mètres le long du parcours, s'inclinaient sur son passage. Tout en bâillant, elle pensa qu'ils avaient l'air ridicule. Ne se fatiguaient-ils jamais de toutes ces courbettes?

Dans Midvale, une escorte de motocyclistes dégageait les rues. De l'intérieur de sa Rolls décapotable, Selena souriait gracieusement à ses sujets. Quelques énergumènes stupides et irritables klaxonnaient dérisoirement. Selena fit claquer ses doigts et un groupe de gardes en uniforme noir et casqués (le groupe d'intervention du Royaume Mineur) se mit à l'œuvre.

– Oy, vey, fit Bianca.

– Ne regardez pas, mauviette.

25

Dans la voiture, Selena donna un coup de coude à Ethan.

– Chassez cette expression sinistre de votre visage.

– Désolé, ma chérie.

Il remonta ses lunettes de soleil sur son nez.

– Ne vous désolez pas. Souriez. Graaand sourire. Faites un signe aux paysans. Vous n'en êtes plus un, ne l'oubliez pas. Vous êtes le prince Ethan.

La voiture s'arrêta. Que se passait-il encore? N'aurait-elle jamais un instant de paix? Selena tapota la tête du chauffeur du bout du doigt.

– En avant.

Il haussa les épaules, résigné. Une foule s'était massée au milieu de la rue, brandissant des pancartes et scandant quelque chose. Selena entendit son nom.

– Rentrez chez vous, imbéciles! hurla Bianca.

C'était le moins qu'elle pouvait faire pour la reine Selena.

Celle-ci envisagea plusieurs solutions. Elle pouvait tous les faire mettre au trou. Elle pouvait tous les transformer, grâce au Burundiwand, en une flaque d'eau sale. Elle se tourna vers Ethan. Il regardait les manifestants avec une expression bienveillante. C'était un changement agréable.

– Je n'ai jamais compris comment quelqu'un pouvait être assez idiot pour se tenir au milieu d'une rue et hurler des choses que personne n'a envie d'entendre en dehors d'autres idiots qui se tiennent au milieu d'une rue et qui hurlent des choses que personne n'a envie d'entendre, dit Selena.

Ethan se tourna vers elle en souriant.

– Voyez-vous, ma chérie, cela se produit de la manière suivante. Les gens ont des doléances. Ils pensent qu'il y a des erreurs dans la manière dont les affaires sont gérées. Comme ils n'ont aucun moyen d'influer sur le cours des événements, ils manifestent. Ils se groupent pour montrer qu'ils ne sont pas de simples individus en train de se plaindre...

– Excellente, très bonne explication, l'interrompit Selena. Elle éclaire tout.

Encore trois mots et elle se serait endormie.

Un monsieur d'âge mûr, au crâne dégarni, se précipita vers la voiture.

– Selena, puis-je vous dire un mot?

Le sourire d'Ethan avait mis Selena de bonne humeur. Elle hocha la tête. Un autre jour, elle l'aurait peut-être assommé avec le Burundiwand pour avoir osé prononcer son nom.

Il enleva son chapeau et s'essuya le front.

– Selena, je vous en supplie, rebranchez les lignes téléphoniques. Mon affaire est au bord de la faillite. Selena, comment dois-je faire pour commander des dragons en papier sans téléphone et sans service postal? Et même si j'y parviens, comment arriveront-ils ici alors qu'aucun convoi, bus ou camion, ne rentre ni ne sort de Midvale?

Vraiment! Tous ces gens s'attendaient-ils à ce qu'elle résolve leurs petits problèmes?

Comme si tout cela ne suffisait pas, un petit bout de femme éprouva le besoin de se faire remarquer. Elle jaillit de la foule au croisement et se mit à scander, tout en frappant dans ses mains :

– Selena, au rancart! Selena, au rancart! Selena, au rancart!

– Quelle barbe!

Selena caressa affectueusement le Burundi-wand.

– Qui est cette femme? demanda Bianca.

Une voix s'éleva de la foule :

– Peu importe son nom. Ce n'est pas cela qui compte.

La voix appartenait à Lucy Lane. Elle et Jimmy Olsen, tous deux habillés comme les villageois, en jean et blouson de toile, se trouvaient au cœur de la foule.

Bien que Jimmy portât une grande banderole anti-Selena, il fut alarmé par les cris téméraires de Lucy.

– Chut! Taisez-vous, dit-il en essayant de la dissimuler.

Mais Lucy était tout feu tout flamme.

– Cette femme croit à la liberté! hurla-t-elle. Elle parle en notre nom à tous.

– Vraiment? murmura Selena.

Parfait. La rebelle, cette idiote radicale et bruyante, devrait servir d'exemple. Selena se dressa debout dans la Rolls et leva le Burundiwand.

La foule reflua. Les manifestants avaient déjà vu le Burundiwand en action. Des cris angoissés s'élevèrent.

– Non! Pitié...

Pointant le Burundiwand en direction de la protestataire, Selena la transforma froidement en statue de glace.

A l'instant même où la jeune femme se transformait en bloc de glace vivant, la température de Lucy atteignit le degré d'ébullition.

– C'est trop! Je craque!

D'abord sa chère Linda Lee avait disparu. Lucy n'avait eu aucun doute quant à la cause de cette disparition. Puis cette montagne avec son château hideux leur avaient été imposés et cette sorcière royale était venue régenter leurs vies. Au début, ils avaient espéré que cela se tasserait. Mais très vite, tout avait empiré. Lucy avait placé de grands espoirs dans cette manifestation mais maintenant, elle voyait bien qu'il fallait passer à l'action. Et si personne ne se décidait...

Elle s'élança droit sur Selena.

– Hé, Lucy, s'écria Jimmy en galopant derrière elle, gardez votre sang-froid.

Le cœur de Lucy battait la chamade. Rien n'aurait pu l'arrêter.

– Qui êtes-vous? s'exclama-t-elle devant Selena. Quelles forces viles et néfastes vous poussent?

Bianca regarda avec étonnement cette furie à tête bouclée qui n'hésitait pas à affronter Selena. Cette furie, pensa-t-elle, ferait une statue de glace saisissante. Elle avait hâte de la contempler!

– Je suis le *pouvoir*, dit Selena en lançant le mauvais œil à Lucy mais sans faire un geste vers le Burundiwand.

Flûte, pensa Bianca. Elle aurait dû s'en douter. La royale Selena aimait la variété; elle faisait rarement la même chose deux fois de suite.

– Vous... vous... (la furie en bégayait) Vous croyez... pouvoir vous débarrasser de quiconque se dresse devant vous... le transformer en statue de glace... ou le faire disparaître, comme mon amie...

– De qui s'agit-il? demanda Bianca en réprimant une envie de donner une tape sur la tête bouclée de la furie.

– Linda! Et vous le savez tous parfaitement bien!

– Linda? fit Ethan.

– Oh, ne faites pas semblant de l'ignorer. Le jour même où... cette *chose* (Lucy désigna la montagne) est apparue, mon amie Linda a disparu. Ne me dites pas que c'est une coïncidence!

– Linda, hm? fit Bianca en lançant un regard significatif à Selena. La grande sauterelle, ajouta-t-elle en aparté, voyant que Selena ne comprenait pas.

Le visage de Selena s'éclaira. Elle désigna Jimmy et Lucy.

– Saisissez-les, ordonna-t-elle.

Ils furent immédiatement entourés par les gardes.

– Lâchez-moi, s'écria Lucy.

– Allons, les gars. Laissez-la, plaida Jimmy.

Ils furent tous deux entraînés par les gardes malgré leurs cris et leurs efforts pour s'échapper.

27

Bianca et Selena étudiaient une carte.

– Ceci sera à nous demain, dit Selena en traçant un cercle autour de Midvale qui englobait une douzaine de villes aux alentours. Puis cela, le jour suivant.

Un nouveau cercle, plus grand, vint englober des comtés entiers et des dizaines de dizaines de villes.

– Joli morceau, commenta Bianca.

Selena traça un autre cercle qui incluait des Etats entiers. Puis un autre et un autre encore.

– D'ici samedi, le continent nord-américain sera à nous.

– Que se passera-t-il samedi?

– L'Amérique du Sud. L'Afrique lundi. Mardi, l'Europe et mercredi la Russie.

– J'y suis, fit Bianca.

C'était l'heure du souper dans la grande maison. Bianca, Selena et Ethan étaient assis autour d'une table longue de huit mètres, somptueusement décorée avec des couverts en cristal, en argent et en porcelaine. Bianca mangeait du raisin noir et des chocolats fourrés à la crème. Ethan grignotait sans entrain un gâteau aux framboises noyé de crème Chantilly. Selena repoussa son assiette. Elle était plongée dans ses pensées. Au bout d'un certain temps, elle s'anima.

– Ethan?

– Oui, ma chérie.

– Ne m'appelez pas comme ça. Je sais que vous me méprisez.

– Oui, ma chérie, dit-il de la même voix neutre.

– Allez me chercher le Coffret des Ombres.

– Oui, ma chérie.

Il posa le coffret devant elle.

– Parfait. Suivez-moi, vous deux, dit Selena.

Bianca ingurgita une dernière bouchée de raisin et remplit ses poches de chocolats pour plus tard lorsqu'elle aurait une petite faim. C'était pénible d'avoir à traverser vingt-sept pièces juste pour manger un morceau.

Ethan et elle suivirent Selena jusqu'à la salle du trône. Au fond se dressait une estrade sur laquelle il y avait trois trônes. Selena examina le plafond haut de seize mètres qui évoquait celui d'une cathédrale.

– Bianca, il me semble qu'il manque quelque chose là-haut...

– Très juste. Peut-être un ventilateur?

Selena tendit le Burundiwand. Un éclair de lumière rouge, et quatre cages d'acier apparurent, suspendues à un chandelier gigantesque. Lucy se trouvait dans la première cage, Jimmy dans la deuxième. Nigel, plus vieux que jamais, était affalé dans la troisième. La quatrième était vide.

– Amusant, dit Bianca. Pour qui est la quatrième?

– Nous verrons ce que nous verrons, dit Selena en les précédant vers les trônes.

– Lucy... Lucy... vous allez bien? chuchota Jimmy.

– Oh, Jimmy... vous m'aviez dit de faire attention... J'aurais dû vous écouter. Nous sommes tous deux dans le pétrin à cause de moi. Moi et ma grande gueule.

– Lucy, vous avez eu un de ces courages!

– Vous aussi, Jimmy, murmura-t-elle. Je veux que vous sachiez quelque chose si nous mourons. Je suis fière de vous.

– Lucy, je veux aussi vous avouer quelque chose. Je suis fou de vous depuis des années. Vous vous souvenez du temps où vous veniez rendre visite à votre sœur dans la salle de rédaction et que vous vous amusiez à barbouiller l'objectif de mon appareil?

Lucy sourit tristement.

– N'aviez-vous pas compris que j'essayais simplement d'attirer votre attention, Jimmy?

– C'est vrai? Vous voulez dire que j'ai perdu tout ce temps... que nous aurions pu... que nous... vous et moi...

– Mais oui, Jimmy.

– Oooh... Lucy.

Elle tendit le bras à travers les barreaux. Les yeux dans les yeux, ils se tinrent par la main, tendrement, bravement.

28

Trébuchant derrière Zaltar, il semblait à Kara qu'il n'y avait pas de passé, pas d'avenir; il n'y avait qu'un *présent* qui s'étendait dans toutes les directions. Hormis cela, rien n'existait. Ni pensées, ni espoirs, ni rêves. Elle n'avait jamais été ailleurs ni fait autre chose que de suivre Zaltar sur ce sol inflexible.

A son grand étonnement, plus ils avançaient, plus Zaltar semblait retrouver de vigueur. C'était comme si, s'étant enfin décidé à lutter, il avait libéré en lui-même quelque nouvelle source d'énergie. Ils poursuivaient leur chemin, toujours plus avant dans un paysage désolé et aride, recouvert de roches grisâtres. Des nuages gris tourbillonnaient au-dessus de ces étendues inertes.

– Où est-ce, Zaltar? Que cherchons-nous?

– La Faille, Kara. La Faille se trouve partout, partout et nulle part. Personne ne sait où elle est ni comment la trouver, ni même si elle existe. Pour quitter la zone fantôme, il faut que nous cherchions la Faille, que nous la cherchions sans espoir. Il faut la chercher tout en sachant que nous ne la trouverons jamais. On ne peut réussir que par la souffrance et la douleur... (Il se tut pendant quelques instants avant d'achever sa phrase.) Il nous faut poursuivre et espérer contre tout espoir...

– J'espère, dit Selena en s'appuyant du coude au bras de son trône (légèrement surélevé par rapport à ceux de Bianca et d'Ethan, bien entendu), j'espère, Ethan, que nous pourrons résoudre ce petit problème que nous semblons avoir.

– Oui, ma chérie.

– Premièrement, ne m'appelez plus comme cela jusqu'à ce que vous le pensiez vraiment.

– Oui, ma chérie.

– Enfer et damnation! s'écria Selena. Il est irrécupérable.

Elle posa son regard d'un air spéculatif sur la quatrième cage au plafond.

– Oh, non, lui dit Bianca à l'oreille. Il est toujours le plus mignon...

Avant qu'elle puisse finir sa phrase, le Coffret des Ombres fut pris de violentes secousses. Le couvercle s'ouvrit brusquement et une lueur brillante et nacrée se dégagea de l'Omegahedron, mêlée à quoi? Un bruit? Un chant? Une voix exquise, aérienne et presque inaudible. Selena n'avait jamais rien entendu de semblable.

– Fermez-le, dit Bianca en se recroquevillant sur elle-même.

Mais Selena se leva et saisit le Coffret des Ombres qu'elle brandit comme une sorcière sa baguette magique.

– Mène-moi, ordonna-t-elle. Montre-moi le chemin, parle-moi, éclaire-moi.

– Zaltar, parlez-moi, s'écria Kara.

Elle faillit tomber dans la crevasse où Zaltar avait disparu. La crevasse ressemblait à une entaille, une blessure fendant la surface du sol. Il en sortait un bruit si assourdissant qu'elle était obligée de hurler pour se faire entendre.

– C'est ici la Voie! hurla-t-il. Venez, Kara.

Tout en glissant et trébuchant, Kara entra dans la Faille.

– Maintenant, direction le Quantum Vortex. (Zaltar s'accrocha à la paroi tandis qu'un vent vorace et

172

mugissant les aspirait vers le bas.) Je dois accepter mes frayeurs, hurla Zaltar. Affronter mes démons... Etes-vous prête, Kara?

Dans le lointain, obscurcie par le vent tourbillonnant, une lueur tremblotante apparaissait et disparaissait. Ils s'accrochèrent aux murs, grimpant vers elle, montant, descendant. Parfois la lueur semblait immobile, parfois elle s'éloignait. Les murs vibraient. Glissants, friables, visqueux, ils défiaient Zaltar et Kara de s'y cramponner. Le vent qui s'élevait du chaudron bouillonnant au-dessous d'eux les aspirait vers la fournaise nauséabonde, éruptive et incroyablement malfaisante qui les guettait d'un air gourmand.

– Malédiction!

Le miroir-écran de Selena semblait devenu fou. Il montrait l'image de grands nuages gris tourbillonnant. L'Omegahedron, lui aussi, paraissait dément; il bondissait, éructait, vibrait, résonnait.

– Qu'y a-t-il? Que se passe-t-il? s'écria Bianca.

– Comment savoir? dit Selena en se rapprochant.

– Je croyais que vous saviez tout.

– Bien sûr. Taisez-vous et regardez.

– Laissez-moi voir aussi.

Ethan se pressa entre elles, irrésistiblement attiré vers le miroir.

– Vous me gênez, dit Bianca.

– Excusez-moi, mais je ne vois rien.

– J'étais ici avant vous.

– Je suis le plus fort.

– Seee... leee... naaa! gémit Bianca. Dites-lui de me laisser regarder.

Selena les repoussa tous les deux. Deux petits

points étaient apparus dans la masse tourbillonnante des nuages sur l'écran. Petit à petit, l'image
devint plus nette.

– Malédiction! Choléra! Damnation!

Bianca regarda par-dessus l'épaule de Selena.

– Cela ressemble, comme qui dirait, à Supergirl.

– Je ne le permettrai pas! C'est impossible! (Selena plongea vers ses livres occultes.) Comment
fait-on retomber quelqu'un dans la zone fantôme?
(Elle feuilleta fiévreusement livre après livre.) C'est
sûrement indiqué quelque part... je sais que c'est
indiqué... L'ABC de la fabrication de l'or – non! Les
changements élémentaires météorologiques : la
grêle, le grésil, la neige – non! Comment transformer vos ennemis en rats, vermine ou crapauds –
non, non, NON!

Les livres tombaient par terre au fur et à mesure.

Devant l'écran, Bianca et Ethan observaient les
efforts que faisaient Zaltar et Supergirl.

– Purée! s'exclama Bianca. Regardez-les. Ils pour-
raient réussir. Allez, les gars! Encore un effort! Du
nerf!

Selena jeta un livre à la tête de Bianca.

– De quel bord êtes-vous?

– Oooups. Désolée.

Elle coula un regard discret vers l'écran.

– Aha! fit Selena. Voilà ce qu'il me faut. Des
boules de feu thessaliennes, chapitre soixante-dix-
neuf, page trois mille cinq cent vingt-deux, note a,
§ BB. (Elle feuilleta le livre fébrilement.) Paaar-
fait!

Dans leurs cages, Jimmy, Lucy et Nigel assistaient
à la scène, impuissants.

Kara se retourna pour regarder Zaltar qui titubait derrière elle. Pendant longtemps, il l'avait guidée, mais maintenant c'était elle qui avait pris la tête. Qu'arriverait-il s'il manquait de forces? Serait-elle capable de le secourir? Devrait-elle poursuivre seule son chemin? Non, elle ne l'abandonnerait jamais dans la Faille.

Se rapprochaient-ils tant soit peu de la lumière? Parfois, elle le croyait. Parfois, elle lui semblait plus éloignée qu'avant. Elle se parlait toute seule. Vas-y, ma fille. Ne quitte pas la lumière des yeux... la lumière au bout du tunnel... il vaut mieux voir une lueur qu'être dans l'obscurité totale... guide-moi, douce lumière...

Zaltar trébucha, tomba à genoux... et resta sans bouger.

— Non! dit Kara. (Elle s'accroupit à côté de lui.) Debout! Levez-vous, Zaltar.

— Je ne peux pas...

— Je ne partirai pas sans vous.

Il se releva après quelques instants en chancelant.

Une immense boule de feu jaillit de la lumière et vint droit sur eux.

— Argo nous vienne en aide! s'écria Zaltar. Une boule de feu thessalienne!

Elle les manqua d'un cheveu.

Une deuxième boule de feu arrivait sur eux, à toute vitesse, avec une précision diabolique.

— Zaltar, s'écria Supergirl, *baissez-vous*!

Trop tard. Il était trop fatigué... trop lent... trop faible... trop vieux. La boule de feu atteignit sa cible. Zaltar poussa un cri de détresse.

– Kara! Je suis aveuglé par la lumière!

Il trébucha et tomba.

Kara lui saisit le bout des doigts. Le vent, sous eux, hurlait avec une fureur maniaque, attirant Zaltar vers l'abîme.

– Tenez bon! cria-t-elle.

– Je ne peux pas... mes yeux...

– Zaltar, vous pouvez. Zaltar, supplia-t-elle, souvenez-vous, il fait toujours plus sombre avant l'aube. Tenez bon! Ne renoncez pas maintenant. Nous y sommes presque. Nous montons vers la lumière.

Il s'agrippa plus fort.

Tout en le guidant, Supergirl continuait de grimper vers la lumière. Celle-ci se rapprochait à présent et brillait d'un éclat féroce.

– Nous y sommes presque, Zaltar.

Au-dessous d'eux, les vents s'élevèrent en hurlant dans un dernier accès de fureur. Les doigts de Zaltar glissèrent.

– Zaltar! (Elle se retourna et le vit tomber en tourbillonnant vers l'abîme.) Zaltar... oh, Zaltar!

Il disparut. Seule sa voix lui parvenait encore.

– Kara... c'est à vous... vous... vous...

Un sanglot lui échappa. Mais il n'y avait pas de temps pour la douleur. Elle viendrait plus tard. Elle poursuivit son escalade... toujours plus haut... vers la lumière... La chaleur devint intolérable, la lumière brillait d'un éclat blanc, féroce, comme un soleil aveuglant... Et elle savait qu'il lui faudrait entrer dans cette fournaise blanche et la franchir.

29

Selena était mécontente. Elle avait sous-estimé Supergirl. A vrai dire, elle était furieuse, elle fulminait et, lorsque Selena fulminait, tout le monde autour d'elle devenait nerveux. Elle fit un geste vers le miroir. On y apercevait Supergirl, progressant lentement vers la lumière flamboyante du Quantum Vortex.

– Vous voyez ça? s'exclama-t-elle.

– Oui, ma chérie.

– Oui, ma chérie, oui, ma chérie! La ferme!

– Oui, ma chérie.

Ethan réagissait machinalement comme il le faisait depuis... combien de temps? Parfois, il pensait que c'était depuis toujours, qu'il avait toujours été le prince Ethan, traversant les jours comme un somnambule. Tout en observant Supergirl en cape rouge sur l'écran, il se souvint d'un baiser... Ce baiser avait peut-être (il n'était sûr de rien depuis que Selena le maintenait dans cet état), peut-être un rapport avec cette fille. Quoique cela n'eût guère de sens.

– Ouais. Les boules de feu thessaliennes n'étaient pas si brillantes que ça.

Bianca espérait que sa petite plaisanterie égayerait Selena.

– Elles étaient *garanties*.

– Demandez le remboursement.

Bianca vit que cela n'amusait pas Selena. C'était bien son genre. Elle prenait tout trop au sérieux. Bianca lui disait toujours : détendez-vous, profitezen. Mais Selena était d'une nature survoltée. De celles qui succombent aux crises cardiaques. Du genre à courir le marathon de bout en bout à toute vitesse. Bianca s'efforça de trouver une remarque de nature à l'apaiser.

– Les boules de feu thessaliennes nous ont débarrassés de l'autre escogriffe.

Encore à côté de la plaque.

– Je m'en fiche. Mettez-vous bien ça dans votre petite tête pathétique! C'est elle... N'y a-t-il rien qui puisse l'arrêter? (Selena se mit à arpenter l'espace devant le miroir.) J'ai besoin d'une idée... et *vite*.

Le tonnerre se mit à gronder et la pièce fut ébranlée.

– Bizarre, fit Bianca. Le soleil brille dehors.

– Ne me donnez pas des bulletins météorologiques. (Selena fit claquer ses doigts.) Des idées! Des idées! N'avez-vous ni l'un ni l'autre aucune idée? Taisez-vous. Je connais la réponse.

Un nouveau coup de tonnerre ébranla les cages suspendues sous le lustre et fit bondir le miroir et le Coffret des Ombres.

– Eh! Que se passe-t-il?

– Quelque chose qui ne me dit rien qui vaille.

Selena avait raison ou tort, selon les points de vue. L'image de Supergirl disparut de l'écran, remplacée par une lumière fulgurante qui les fit tous reculer. Une lumière chauffée à blanc... si brûlante qu'elle fit éclater six fenêtres. L'instant d'après, le miroir aussi éclata tandis que Supergirl jaillissait de l'écran. Des éclats de verre volèrent à travers toute la pièce. L'élan de Supergirl lui en fit faire le tour à toute vitesse.

Elle rayonnait encore, au sens propre et figuré, suite à son passage à travers la lumière blanche du Quantum Vortex. Elle avait réussi! Elle avait vaincu tous les dangers, les périls, et se retrouvait à son

178

point de départ. Mais elle n'oublierait jamais qu'elle le devait à Zaltar.

– *Zaltar, cher Zaltar... j'ai réussi. Maintenant, je vais rapporter l'Omegahedron sur Argo. Pour vous, Zaltar...*

Elle vira brusquement et vint se poser devant Selena.

– L'heure est venue, Selena. Il est temps de payer. La fête est finie.

Selena saisit le Coffret des Ombres.

– Réfléchissez, oiseau bleu! Un geste et, même si vous échappez, vos amis paieront.

Elle tendit le Burundiwand vers les cages puis vers le bas. Des pointes d'acier chauffées à rouge se dressèrent sur le sol, juste au-dessous des cages.

– N'ayez crainte, Jimmy! Lucy! Nigel! Je vous sauverai. (Supergirl se tourna vers Selena.) A votre place, je m'arrêterais tout de suite.

– L'ennui, c'est que vous n'y êtes pas.

Selena tendit le Burundiwand. Les chaînes maintenant les cages se rompirent.

Supergirl prit sa respiration. Il fallait sauver ses amis! Elle expira. Son super-souffle glacial balaya les pointes qui éclatèrent à peine une fraction de seconde avant que les cages ne viennent s'écraser au sol.

Les prisonniers se dégagèrent des débris en titubant, encore étourdis. Supergirl les poussa vers une autre pièce.

– Cachez-vous! Restez là!

– Cela ne les sauvera pas, Supergirl, ricana Selena. Je les aurai remis en cage ou pire avant peu.

– J'en doute, dit calmement Supergirl. (Elle tendit la main.) Donnez-moi l'Omegahedron. Il appartient à Argo.

– Alors, c'est comme ça que s'appelle le trucmachinchose, dit Bianca d'un air intéressé.

– C'est cela que vous voulez? fit Selena. Loin de *moi* l'idée de vous en priver. (Elle ouvrit le Coffret des Ombres et appliqua le Burundiwand contre l'Omegahedron.) Soufflez, vents! s'écria-t-elle, libérant un ouragan aussi violent que celui du Quantum Vortex. (La pièce s'obscurcit et le cyclone se jeta en rugissant sur Supergirl et la renversa. Selena éclata de rire.) C'est cela que vous voulez? Encore, Supergirl?

Le cyclone fonça de nouveau sur elle. Supergirl bondit sur ses pieds et tendit sa cape comme un matador.

– *Toro!* (Elle fit une esquive de côté.)

Le visage de Selena se contorsionna. Elle brandit le Burundiwand. Une pluie de briques tomba sur Supergirl, l'enterrant complètement.

– Haut les cœurs! croassa Bianca de l'encoignure où elle s'était accroupie.

Assis sur son trône, Ethan observait sans rien dire. Son genre, c'était la torpeur. Pourquoi faire quelque chose? Pourquoi parler? Pourquoi se tracasser? Il suffisait de se laisser aller, d'acquiescer toujours... oui, ma chérie... oui, ma chérie...

Mais, chose bizarre, il se mit à répéter intérieurement un seul mot. *Non, non, non.* Il se passait quelque chose en lui et cela avait débuté dès que Supergirl avait jailli du miroir. Cette torpeur s'évanouissait, lui laissant l'esprit fourmillant comme un bras ou une jambe dont la circulation se rétablit... Il était resté indifférent à tout pendant des siècles mais à présent, il regardait la pile de briques avec

180

crainte. Où était-elle? Comment pourrait-elle survivre dans cette tombe?

A cet instant précis, d'un super-coup d'épaule, Supergirl se dégagea de l'amas de briques, les projetant de tous côtés comme un chien mouillé qui s'ébroue.

– Malédiction! (Psalmodiant et divaguant, Selena leva les bras. Le sol se mit à trembler sous les pieds de Supergirl et s'enflamma tout à coup. Supergirl tomba à genoux.) Maintenant... hurla Selena. Maintenant... *tout de suite!*

Le sol s'entrouvrit sous Supergirl, laissant apparaître un trou béant de lave. Au-dessus d'elle, une gigantesque gargouille de pierre, perchée sur une poutre, cligna des yeux et s'anima. Ses prunelles brillèrent d'un éclat mauve et vert. Elle écarta les ailes et piqua sur Supergirl.

– Attention! hurla Ethan.

Supergirl bondit de côté. Le démon de pierre plongea dans la fournaise à ses pieds.

Selena se tourna en furie vers Ethan.

– Je m'occuperai de vous tout à l'heure!

– Excusez-moi, les enfants, dit Bianca en se glissant hors de son recoin. Mais quand faut y aller, faut y aller... (Selena lui accorda à peine un regard et brandit le Burundiwand. Des mains invisibles clouèrent Bianca au mur.) Après tout, fit Bianca, je crois que je vais rester dans le coin encore un moment.

30

Selena s'avança vers Supergirl en psalmodiant d'une voix rauque. Ses yeux brillaient d'un éclat rouge. Une brume noire se forma autour d'elle, la dissimulant pendant un moment. Une silhouette apparut dans la brume, réplique exacte de Selena mais sans vie ni couleur. Tandis que Selena faisait ses incantations, son ombre bougeait les lèvres sans produire de son. Elle reproduisait le moindre de ses gestes.

De sa prison invisible, Bianca poussa un gémissement. Ethan pâlit et même Supergirl en fut affectée.

– Démon... mon démon... puissance de l'ombre... mon moi le plus profond, psalmodia Selena. Fais ce que j'ordonne... détruis-la!

L'ombre de Selena se détacha d'elle et s'avança vers Supergirl. Selena leva les bras au-dessus de la tête, imitée par son ombre.

Supergirl bondit sur une poutre. L'ombre flotta jusqu'à elle. Selena s'avança les bras tendus, son ombre l'imita.

Des ondes de force émanaient d'elle, attirant Supergirl plus près... plus près... plus près... Les bras de l'ombre s'avancèrent pour se saisir d'elle. Une super-sueur perlait au front de Supergirl. Selena, comme un chef d'orchestre, referma ses bras dans une étreinte. Son ombre referma ses bras sur Supergirl, l'aspirant en elle.

Selena griffa l'air. L'ombre griffa et déchira Supergirl qui se débattait en elle. La fin approchait. L'infâme Selena allait être victorieuse.

– *Je suis avec vous, Kara... tenez bon...* (C'était la

voix de Zaltar.) *Ne renoncez pas... vous pouvez réussir...*

Rassemblant ce qui lui restait de forces, Supergirl se replia sur elle-même à l'intérieur de l'ombre, puis se détendit comme un ressort. Elle jaillit hors de l'ombre, les pieds en avant.

Les yeux de Selena lancèrent des éclats orange. Elle marcha sur Supergirl. Au-dessus d'elle, toujours sous son contrôle, l'ombre s'avança.

Supergirl hésita.

Et Ethan, se faufilant derrière Selena, referma d'un coup sec le couvercle du Coffret des Ombres, la coupant ainsi de l'Omegahedron.

Selena eut l'impression de se vider de son sang.

Alors que Selena s'affaiblissait, Supergirl sentait ses forces lui revenir.

– Supergirl, chevrota Nigel de la pièce voisine. Mettez-la en confrontation avec son démon.

Supergirl se propulsa autour de la pièce à super-vitesse, créant autour de Selena un tourbillon qui l'aspira vers le plafond. Elle la déposa sur la poutre, en face de son ombre.

L'ombre murmura son nom comme le ferait un amant.

– Se... leee... naaa.

Elle l'attira lentement vers elle.

Selena poussa un hurlement.

Supergirl tissa une toile de vent autour d'eux. Tournant en cercles de plus en plus serrés, elle referma le filet sur eux jusqu'à ce que les deux ne fassent plus qu'un. Puis elle les attira vers le miroir...

L'écran béant aspira Selena et son ombre qui disparurent dans le néant opaque.

– Partis! s'écria Jimmy en levant les bras.

Lucy dansa autour de la pièce.

– Nous sommes libres à nouveau!

Bianca, libérée des liens invisibles qui la retenaient, se frotta les bras.

– Ouais... libres... répéta-t-elle, mais elle paraissait perplexe, même perdue. (Elle s'approcha du miroir vide.) Où sont-ils donc partis? fit-elle en passant la tête à travers l'écran. (Puis elle poussa un cri de frayeur en se sentant happée vers l'intérieur.) Eh! Minute! (Elle s'agrippa au rebord.) Lâchez-moi. Je n'ai fait qu'obéir aux ordres. (Elle se maintint quelques instants puis disparut à son tour.) Aux ordres... aux ordres... aux ordres, entendit-on encore, puis le silence retomba.

31

Le calme était revenu. Lucy, Nigel et Jimmy regardèrent autour d'eux comme s'ils ne parvenaient pas encore à croire ce qu'ils venaient de voir.

– Est-elle vraiment partie? demanda Jimmy.

– Elle n'est *plus*, dit Lucy. L'horrible sorcière a eu son compte.

Prenant le Coffret des Ombres du bout des doigts d'un air dégoûté, Supergirl le jeta à travers l'écran. Il disparut et, après quelques instants, il y eut un grand plouf dont l'écho mourut bientôt. Elle passa l'Omegahedron devant le miroir dont les fragments de verre se rassemblèrent.

– Selena... dit Nigel. Où êtes-vous à présent? (Puis il se tourna vers les autres comme pour s'excuser.) Elle avait ses bons côtés, vous savez.

– Pour vous, peut-être. Mais moi je prétends qu'elle est bien où elle est et je dis bravo!

Lucy se jeta au cou de Jimmy et l'embrassa. Il lui rendit immédiatement la politesse. Pour ne pas être en reste, elle recommença. Il en fit de même. Comme c'était une jeune fille fière et décidée, elle... mais vous avez compris. Le baiser se prolongea. Encore et encore.

Et c'est ainsi que Jimmy et Lucy célébrèrent la chute de Selena et leur liberté retrouvée.

C'était une façon comme une autre et sans doute la meilleure. Supergirl les regarda d'un air sagace. De telles frivolités n'étaient pas pour elle. Elle tenait enfin la précieuse source d'énergie et un voyage long et pénible l'attendait. Il y avait pourtant encore quelques points secondaires à régler.

– Ecoutez-moi tous, les amis, dit-elle. Je dois ramener l'Omegahedron là d'où il vient, s'il n'est pas trop tard...

– Sûrement pas, s'exclama Lucy, toujours aussi optimiste.

Puis elle se remit à embrasser Jimmy. Oh la la! pensa-t-elle. Que de temps perdu!

– ... et je vous demande à tous de ne rien dire à personne...

– Nous comprenons, fit Ethan. Nous n'avons rien vu, n'est-ce pas Lucy et Jimmy? (Pas de réponse.) Nigel?

– Vous pouvez compter sur moi pour ne pas en parler à tort et à travers. (A l'exception d'une mèche de cheveux gris, Nigel avait retrouvé son aspect normal, sans retrouver cependant toute son assurance et son air crâne. Son regard garderait toujours une ombre de tristesse et de repentir. Il poussa un soupir.) Sans *elle*, mon univers est... n'a plus de sens. Plus de mauvais tours. La rigolade est finie.

Ethan échangea avec Supergirl un timide sourire. Lui ne regrettait pas la perte de Selena. Il aurait, par contre, souhaité que Supergirl prenne les mêmes libertés avec lui que Lucy avec Jimmy...

– Ethan, il faut que je vous dise quelque chose, fit Supergirl.

– Oui? dit-il plein d'espoir.

– Il ne s'agit pas de moi, mais de Linda... c'est-à-dire...

Elle bredouillait de façon inhabituelle, ne se sentant pas du tout super sûre d'elle.

– Oh oui! Je sais ce que vous voulez dire. Vous et Linda...

– Sommes amies, l'interrompit-elle.

– C'est vrai.

Ethan pensa qu'il divaguait de croire que Linda et Supergirl ne faisaient... Non, non, non. Simplement parce qu'elles embrassaient toutes deux d'une manière fantastique?

– Linda Lee m'a laissé un message pour vous, Ethan... Elle a dû partir... mais...

– Mais?

– Mais elle tient beaucoup à vous et... voilà. Elle espère que vous comprendrez.

– Je comprends... j'espère seulement...

Elle le regardait d'un air si chaleureux qu'il espéra qu'elle devinerait ce qu'il n'arrivait pas à exprimer. Il se souvint vaguement du temps où il suivait Linda Lee en déversant des flots de paroles comme un automate. Comme c'était étrange. Cela ne lui ressemblait pas du tout.

– Il faut vraiment que je parte, dit Supergirl.

– Je ferai la commission à Lucy au sujet de Linda Lee.

– Merci, Ethan... adieu.

– Adieu, Supergirl.

Ils se tinrent par la main pendant quelques instants encore puis Supergirl lui envoya un baiser du bout des doigts.

– Argo soit avec vous, dit-elle.

Puis, tenant l'Omegahedron serré contre elle, elle fit le tour de la pièce en volant en guise d'adieu à ses amis. Ethan la suivit des yeux lorsqu'elle s'envola par la fenêtre. Lucy et Jimmy s'embrassaient toujours.

Lucy et Jimmy s'embrassèrent pendant très longtemps.

Lorsqu'ils se séparèrent, ils regardèrent autour d'eux, abasourdis. Ils se trouvaient dans la Grand-Rue, au carrefour de la rue du Chêne. La montagne avait disparu. Le palais monstrueux avait disparu. Les voitures circulaient dans les rues où se trouvait la montagne auparavant. Les gens entraient et sortaient des magasins. La vie, à Midvale, avait repris son cours normal et personne ne s'en étonnait.

– Quel baiser! dit Lucy.

Jimmy pointa son appareil en direction de l'endroit où s'était dressée la montagne.

– Il faut que je prenne une photo de cette...

– Oh, Jimmy! C'est à cela que vous pensiez pendant tout le temps où nous nous embrassions?

Jimmy rougit.

– Non, Lucy.

– Souvenez-vous, Jimmy, qu'un grand philosophe a dit qu'il y avait un temps pour les baisers et un temps pour les photos.

– Vraiment?

– Certainement, dit Lucy en passant le bras sous le sien.

Nigel aussi s'était retrouvé au coin de la rue du Chêne et de la Grand-Rue. Après un instant d'hésitation, il se dirigea vers Midvale School en pensant que la vie continuait et qu'un de ces jours, dans six mois ou un an, il se sentirait bien à nouveau. En attendant, il ne lui restait qu'à faire preuve de courage...

Il tournait le coin d'une rue lorsqu'une jeune femme en robe rouge le saisit par le bras.

– Bonjour! Vous vous souvenez de moi? (C'était Virginia, la jeune femme que Selena avait fait tourner comme une toupie sur la tête lors de sa réception.) Je suis contente de vous revoir. C'est bien Nigel, votre nom? Vous me parliez de cet os au côté droit d'une grenouille et depuis, ça n'a pas cessé de me trotter dans la tête.

Nigel lui tapota la main. Curieux, comme son moral venait tout à coup de remonter en flèche.

– C'est un crapaud, ma chère. Un crapaud rouge, et le petit os se trouve du côté gauche.

Ils descendirent la rue ensemble.

Resté seul, Ethan regarda le ciel en s'abritant les yeux de la main. Un ciel tout bleu. Au loin, il vit une traînée d'un bleu plus soutenu... Oui! Le temps d'un éclair et la traînée disparut derrière l'horizon.

– *Adieu... adieu... Linda, adieu. Supergirl, au revoir... adieu, adieu...*

Science-Fiction et Fantastique

ALDISS Brian W.
L'autre île du Dr Moreau (1292★★)
Qui poursuit aujourd'hui les expériences du Dr Moreau ? Inédit.

ANDERSON Poul
La reine de l'Air et des Ténèbres (1268★★)
Ce n'est qu'une légende indigène, pourtant certains l'auraient aperçue. Inédit.
La patrouille du temps (1409★★★)
L'épopée des hommes chargés de garder l'Histoire.

ANDREVON Jean-Pierre
Cauchemar… cauchemars ! (1281★★)
Répétitive et différente, la réalité, pire que le plus terrifiant des cauchemars. Inédit.
Le travail du furet à l'intérieur du poulailler (1549★★★)
Les furets détruisent les malades. Inédit.

ASIMOV Isaac
Les cavernes d'acier (404★★★)
Dans les cités souterraines du futur, le meurtrier reste semblable à lui-même.
Les robots (453★★★)
D'abord esclaves, ils deviennent maîtres.
Face aux feux du soleil (468★★)
Sur Solaria, les hommes ne se rencontrent jamais ; pourtant un meurtre vient d'y être commis.
Un défilé de robots (542★★★)
D'autres récits passionnants.
Cailloux dans le ciel (552★★★)
Un homme de notre temps est projeté dans l'empire galactique de Trantor.
La voie martienne (870★★★)
Une expédition désespérée.
Les robots de l'aube
     (2t. 1602 ★★★ et 1603★★★)
Ce roman conclut à la fois Les robots et Les cavernes d'acier.
Le voyage fantastique (1635★★★)
Une équipe chirurgicale miniaturisée opère dans le corps humain.

BAKER Scott
L'idiot-roi (1221★★★)
Diminué sur la Terre, il veut s'épanouir sur une nouvelle planète. Inédit.

Kyborash (1532★★★★)
Dans un monde archaïque, une histoire épique de possession et de vengeance. Inédit.

BESTER Alfred
Les clowns de l'Eden (1269★★★)
Un groupe d'immortels s'oppose à un ordinateur qui veut redessiner l'espèce humaine.

BRUNNER John
Tous à Zanzibar
     (2t. 1104 ★★★★ et 1105★★★★)
Surpopulation, violence, pollution : craintes d'aujourd'hui, réalités de demain.
Le troupeau aveugle
     (2t. 1233 ★★★ et 1234★★★)
L'enfer quotidien de demain.
Sur l'onde de choc (1368★★★★)
Un homme seul peut-il venir à bout d'une société informatisée ?
A l'ouest du temps (1517★★★★)
Est-elle folle ou vient-elle d'une région de l'univers située à l'ouest du temps ?

CHERRYH Carolyn J.
Chasseurs de mondes (1280★★★★)
C'était une race de prédateurs incapables de la moindre émotion. Inédit.
Les adieux du soleil (1354★★★)
L'agonie du soleil est le symbole du crépuscule de la civilisation sur Terre. Inédit.
Les seigneurs de l'Hydre (1420★★★)
Ils pourchassent les humains. Inédit.
Chanur (1475★★★)
A bord d'un vaisseau extra-terrestre, une femme-chat découvre un humain. Inédit.
L'opéra de l'espace (1563★★★)
Chez les marginaux de l'espace, une aventure épique dont l'amour n'est pas absent. Inédit.
La pierre de rêve (1738★★★)
Qui la vole partage les rêves de qui la possédait. Inédit.   (déc. 84)

CLARKE Arthur C.
2001 – L'odyssée de l'espace (349★★)
Ce voyage fantastique aux confins du cosmos a suscité un film célèbre.
2010 – Odyssée 2 (1721★★★)
Enfin toutes les réponses.   (nov. 84)

CURVAL Philippe

L'homme à rebours (1020★★★)
La réalité s'est dissoute autour de Giarre : sans le savoir, il a commencé un voyage analogique. Inédit.

Cette chère humanité (1258★★★★)
L'appel désespéré du dernier montreur de rêves.

DEMUTH Michel

Les Galaxiales (996★★★)
La première Histoire du Futur écrite par un auteur français.

Les années métalliques (1317★★★★)
Les meilleures nouvelles de l'auteur.

DICK Philip K.

Loterie solaire (547★)
Un monde régi par le hasard et les jeux.

Dr Bloodmoney (563★★★)
La vie quotidienne post-atomique.

Simulacres (594★★★)
Le pouvoir est-il électronique ?

A rebrousse-temps (613★★★)
Les morts commencent à renaître.

Ubik (633★★★)
Le temps s'en allait en lambeaux. Une bouffée de 1939 dérivait en 1992.

Au bout du labyrinthe (774★★)
Est-ce la planète qui est folle ou la démence a-t-elle gagné tous les colons ?

Les clans de la lune alphane (879★★★)
Une colonie de malades mentaux.

L'œil dans le ciel (1209★★★)
Une réalité fissurée, un quotidien qui se craquelle : quel est ce monde délirant ?

L'homme doré (1291★★★)
L'essentiel de l'œuvre du nouvelliste.

Le dieu venu du Centaure (1379★★★)
Palmer Eldritch : on connaît ses yeux factices, son bras mécanique... qui est-il ?

Message de Frolix 8 (1708★★★)
Le génie était la norme, les drogues légales, l'alcool tabou.

DISCH Thomas

Génocides (1421★★)
Pour l'envahisseur, les hommes ne sont guère plus que des insectes.

Camp de concentration (1492★★)
La drogue provoque le génie, puis la mort.

DOUAY Dominique

L'échiquier de la création (708★★)
Les pions sont humains. Inédit.

FARMER Philip José

Les amants étrangers (537★★)
Un Terrien avec une femme non humaine.

Le soleil obscur (1257★★★★)
Sur la Terre condamnée, des voyageurs cherchent la vérité. Inédit.

    Le Fleuve de l'éternité :
- **Le monde du Fleuve** (1575★★★)
- **Le bateau fabuleux** (1589★★★★)
Les morts ressuscitent le long des berges.

FORD John M.

Les fileurs d'anges (1393★★★★)
Un hors-la-loi de génie lutte contre un super réseau d'ordinateurs. Inédit.

FOSTER A.D.

Voir Cinéma p. 24

GIGILLAND Alexis A.

La révolution de Rossinante (1634★★★)
Un homme et un robot luttent pour sauver un monde de la faillite. Inédit.

HAMILTON Edmond

Les rois des étoiles (432★★★)
John Gordon a échangé son esprit contre celui d'un prince des étoiles.

HARNESS Charles

L'anneau de Ritornel (785★★★)
C'est dans l'Aire Nodale, au cœur de l'univers, que James Andrek trouvera son destin.

HARRISON Harry

Appsala (1150★★★)
Jason Dinalt tombe de Charybde en Scylla.

HERBERT Frank

La ruche d'Ellstrom (1139★★★★)
Ou l'enfer des hommes insectes.

HIGON Albert

Le jour des Voies (761★★)
Les Voies, annoncées par la nouvelle religion, conduisent-elles à un autre monde ?

KEYES Daniel

Des fleurs pour Algernon (427★★★)
Charlie est un simple d'esprit. Des savants vont le transformer en génie.

KING Stephen
Carrie (835★★★)
Ses pouvoirs supra-normaux lui font massacrer plus de 400 personnes.
Shining (1197★★★★)
La lutte hallucinante d'un enfant médium contre les forces maléfiques.
Danse macabre (1355★★★★)
Les meilleures nouvelles d'un des maîtres du fantastique moderne.
Cujo (1590★★★★)
Un monstre épouvantable les attend dans la chaleur du soleil.

KLEIN Gérard
Les seigneurs de la guerre (628★★)
Un homme seul face au Monstre, la plus terrible machine de guerre de notre temps.
La loi du talion (935★★★)
Elle seule régit ce monde où s'affrontent cinquante peuples stellaires.

KLOTZ et GOURMELIN
Les innommables (967★★★)
... ou la vie quotidienne de l'homme préhistorique. Illustrations de Gourmelin.

LEE Tanith
Vazkor (1616★★★)
Une geste épique et fantastique. Inédit.
Cyrion (1649★★★★)
Légende, mythe ? Etait-il vivant ? Inédit.
La déesse voilée (1690★★★★)
Elle croit porter le malheur et la destruction avec elle. Inédit.

LEM Stanislas
Le congrès de futurologie (1739★★)
Un congrès fou qui débouche sur un monde hallucinant.　　　　　　　　*(déc. 84).*

LEOURIER Christian
Ti-Harnog (1722★★★)
Un homme confronté à une civilisation inconnue. Inédit.　　　　　　　*(nov. 84)*

LEVIN Ira
Un bébé pour Rosemary (342★★★)
Satan s'empare des âmes et des corps.

Un bonheur insoutenable (434★★★)
Programmés dès leur naissance, les hommes subissent un bonheur insoutenable à force d'uniformité.

LONGYEAR Barry B.
Le cirque de Baraboo (1316★★★)
Pour survivre, le dernier cirque terrien s'exile dans les étoiles. Inédit.

LOVECRAFT Howard P.
L'affaire Charles Dexter Ward (410★★)
Echappé de Salem, le sorcier Joseph Curwen vient mourir à Providence en 1771. Mais est-il bien mort ?
Dagon (459★★★★)
Le retour du dieu païen Dagon, et de nombreux autres récits de terreur.

MacDONALD John D.
Le bal du cosmos (1162★★)
Traqué sur Terre, il se voit projeté dans un autre monde.

McINTYRE Vonda N.
La colère de Khan (Star Trek II)
(1396★★★)
Le plus grand défi lancé à l'U.S. Enterprise.
Le serpent du rêve (1666★★★★)
Elle guérit au moyen d'un cobra, d'un crotale et d'un serpent du rêve. Inédit.

MARTIN George R.R.
Chanson pour Lya (1380★★★)
Trouver le bonheur dans la fusion totale avec un dieu extra-terrestre. Inédit

MATHESON Richard
La maison des damnés (612★★★★)
Des explorateurs de l'inconnu face à une maison maudite.

MERRITT Abraham
Les habitants du mirage (557★★★)
La lutte d'un homme contre le dieu-Kraken.
La nef d'Ishtar (574★★)
Il aime Sharane, née il y a 6 000 ans.
Le visage dans l'abîme (886★★★)
Dans une vallée secrète des Andes, une colonie atlante jouit de l'immortalité.

Achevé d'imprimer sur les presses de l'imprimerie Brodard et Taupin
58, rue Jean Bleuzen, Vanves. Usine de La Flèche,
le 14 septembre 1984
6821-5 Dépôt Légal septembre 1984. ISBN : 2 - 277 - 21720 - 4
Imprimé en France

Editions J'ai Lu
27, rue Cassette, 75006 Paris
diffusion France et étranger : Flammarion

1720
★ ★